やさしい
法学通論

（新　版）

穂積重遠著
中川善之助補訂

有斐閣

新版序

穂積重遠先生の『百万人の法律学』が思索社から出たのは昭和二五年、いい本であるのにあまり広まらなかったが、昭和二九年、私が法令をアップ・ツウ・デートにするなど必要最小限度の補訂をして、有斐閣から復刊した。それが今の『やさしい法学通論』である（あとがき参照）。

ところが、そのころは一応それでよかったが、現実の法律はまたさらに変ったのに、読みたいという人は相変らずおり、むしろ増えているようである。のみならず紙型も大分いたんで来たというので、有斐閣も思い切って、内容を現在に合わせると同時に、版を新たに起し、先生の名著を一層広く読んでもらえるように、改訂再版することとした。無論私も喜んでその労をとった。

そこでこの機会を利用して、組み方を多少変えるとともに、旧漢字を当用漢字に改め、参考文献も基本的な、しかも通論の読者向きのものだけにしぼり、且つ索引を事項索引だけにした。大部分の本書読者にとって、恐らくは、必要な整理であり、また不要なものの削除だろう、と思ったからである。

こうして、先生の遺業が、今日にも今日以後にも、一人でも多くの人の上に、影響をもつであろうことを、私は切に期待している。

昭和三十八年二月

学習院大学研究室にて

中川善之助

目次

第二話　法律は作るもの……二八

第三話　法律は在るもの

第四話　法律は成るもの……八六

第六話　法律は守るもの

第一話　法律とは何か

1　ホワットとハウとホワイ

わたしのところの孫が満三歳と何ヵ月かになった頃のことである。だんだんにちえづいてきて、むやみと質問をするにはまいらされた。第一期の質問は、「あれはなに？」「これはなに？」だった。第二期には「どうするの？」「こうするの？」になった。今は第三期で、盛んに「なぜ？」「どうして？」を連発する。うるさいけれども、たのもしい。この「なに？」と「どうする？」と「なぜ？」、英語なら“What?”と“How?”と“Why?”これがすなわち学問なのだ。法律学も御多分にもれず、法律のホワットとハウとホワイの知識だ。今までの法律学はややもすれば「なに」の学問におわった。もっと「どうする」を練習し、「なぜ」を思索しなくてはいけない。ここに「法律とは何か」というその「何」は、ともかくも法律学の手ほどきとしてホワットを主とするが、ハウとホワイとにも触れるものと御承知ありたい。

『法律とは何か。』というのが、法律学の第一課であり、また最終課である。その第一課が「法学通論」、最終課が「法律哲学」（法理学）だ。ある釣好きが、『釣はフナに始まってフナに終る。』と言ったが、まあそんなものだろうか。そして古今東西幾百千の法律学者が大小いろいろのフナを釣り上げているが、まだどうも正真正銘まがいなしの標準型のフナは釣れていないようだ。元来『法律とは何か。』を知るためには、憲法・民法・刑法というような一つ一つの法律を具体的に勉強する「各種法学」を卒業した上で、「これを要するに」の法律哲学の抽象論にはいらねばならぬのだが、しかしまた、憲法・民法・刑法等の各種現実法学に取りかかる準備として、また民主国・法治国の国民たる生活常識として、法律とは大体こんなもの、という見通しを附けておくことは、まんざらむだではないであろう。そこでこの第一課たる法学通論は、フナとはこんな魚という見当がつきフナとコイとをまちがえないように、というくらいのところでがまんしておきたい。「フナそのもの」の観念論をするのは法律哲学の領分、一枚一枚のうろこを顕微鏡でしらべるのは各種法学の仕事だ。

知るべし由るべし

「法治国民」という言葉を使ったが、この言葉の観念が憲法の改正とともに一変した。旧憲法下のわれわれは、法律によって治められる国民だったが、新憲法下のわたしたちは、法律によって自ら治める国民になったのである。そしてその法律を作るのは結局「主権の存する日本国民」なのであって、日本が新憲法によって「君主国」から「民主国」に変った、というのはそのことである。自分のために自分が作った自分の法律なのだから、自分が知り、自分が守らねばならない。

論語に『子ノタマワク、民ハコレニ由ラシムベシ、コレヲ知ラシムベカラズ。』とある。これは論語中で今の若い人たちに評判のわるい一章だ。すなわち、民を愚にすべしとする秘密主義専制政治のあらわれだと非難攻撃されるのだが、必ずしもそうではあるまい。「知ラシムベカラズ」を、「知らせてはいけない」とせずに、「知らせただけではいけない」と解したらどんなものだろうか。そして「由ル」というのは、抽象的理論ならぬ具体的実践であって、人民に道義実践の規準を与えよ、というのである。近ごろはやりの「自由」なども、無軌道脱線得手勝手の意味でないことはもちろんの話で、「自暴自棄」ならぬ「自らの由りどころ」である。すなわち、各人を理窟倒れでない足の地についた自由人たらしめよ、『人民にはこれに由るべき立脚地を与えねばならぬ、ただ知識を与えただけではだめじゃ。』というのが孔子の真実ではなかったろうか。それはともかく、由るためには知らねばならぬ。そして今日では、「知ラシメ」るの「由ラシメ」るのというパッシヴではいけない、アクティヴに知るべし、そして由るべし、である。

前菜的法学入門

法律に由らんがために法律を知るための法学入門書が法学通論だが、今までの法学通論はややもすれば、法律哲学そこのけのものであったり、各種法学の総目録のようなものであったりして、要するに「むずかしい法学通論」であった。それらはそれらとして有用だろうが、法学入門にはどうかと思う。殊に「法律全体の縮図」式な法学通論は、いわば、これから本膳・二の膳・三の膳と順々に出てこようという山海の珍味を一箸ずつ盛り合せて前菜に出しそれを一口にほおばらすようなもので、へたをするとかえって食欲を減退させ、それがまたあまりにコテ盛りだと、見ただけでウンザリさせるかも知れない。オードゥブルというものは、いわゆるアペタイザーで、これからユックリ御馳走を頂戴しようという気分をつくりだし食指大いに動くものあらしめねばならぬ。果してそういうぐあいにゆくかどうか請け合えないが、この法学通論は一つ「前菜的法学入門」のつもりで書いてみようと思う。そして、法学一年生のための手ほどきだけでなく、法律専門家ならぬ一般人にも読んでもらいたいと思うので、かたがたあまり専門的法律論風でなく、俗談平話式にやってみる。従って甚だ取りとめのないものになりそうだが、法律というものも存外殺風景でなさそうだ、しかしこれではいかにも物足りないからも一つ突込んで勉強してみたい、という気持を起させることができたら大成功、ということに願いたい。

これを要するに、法学通論は法学入門でなくてはならぬ。『尊い寺は門から知れる。』というが、門があまりいかめしかったりややこしかったりすると、せっかくはいろうと思った足がすくむ。孔子は門人子路を評して、『堂ニノボレリ、イマダ室ニ入ラズ。』と言ったが、堂にのぼらせ室に入らせるにはまず門内に入れねばならぬ。そこで、もしできるならば、門があるとも気がつかずいつの間にか門内にはいっている、というあんばいにしたい。それがこの「やさしい法学通論」のねらいである。イギリスの名高いおとぎばなしに「アリス・イン・ワンダーランド」(「不思議の国のアリス」)というのがある。その中にこういう一節がある。動物たちがビショぬれになり寒さにふるえて、何かからだをかわかす工夫はないものかと言い合っていると、一匹の鼠がしかつめらしくエヘンとせきばらいして、『ウィリアム征服王ハ外ニ法王ノ後援アリタルノミナラズ、内ニハ従来簒奪征服ニ慣レタル英国民ガ当時君主ヲ渇望セシ際ナリシヲ以テ、人民コレニ附従シ、』と始めたので、一同あきれかえり、それがからだをかわかす工夫とは、とたずねると、鼠先生大すましで、『話がドライだから。』と答えたという。歴史談さえドライといわれる。法律論といえばすぐに無味乾燥が連想されるのも無理はない。しかしながら、法律が道徳とならんで人生の大法則である以上、そして人生なるものが乾燥無味でないならば、法律論とてもドライなはずはないのである。わたしが好んで法律論らしくない法律談をするのも、願わくは法律乾燥無味の濡衣を干したい微意にほかならぬ。

法律という言葉　この辺で念のため「法律」という言葉を説明しておこう。厳格な専門語としては、国会で議決された国法、という狭い意味で、「命令」に対して用いられ、両者をひっくるめては「法令」と言う。ところで旧憲法には「法律」と肩を並べる「勅令」という国法があったから、国法全部を「法律」と言ってはまずかったかも知れぬが、新憲法では法律一本建てになり、命令たる「政令」は「憲法及び法律の規定を実施するため」の細則になったことゆえ、国法全部を、憲法をも含めて、「法律」と言ってもまずよかろうか。もっとも、国会制定の法律のほかに慣習法も国際法もあることだから、「法律」という言葉には専門的にやはり限界がある。それならただ、「法」と言ったらどうだろうか。「法律哲学」と言わずに近ごろは「法哲学」と言うようだ。現に「法律学通論」ではなくて「法学通論」なのだから、熟語としてはそれでよいが、「法」とだけ言うとまた、礼法もあり兵法もあり魔法もありでハッキリせぬゆえ、ここでは「法律学」とか「法律家」とかいう通俗の用い方に従って、「法律」という言葉を広い意味に使うことと御承知ありたい。なおついでながら、英国で「法律家」（ローヤー）と言えば弁護士のことだ。同国で弁護士が重きをなすあらわれと言ってよかろう。

人の人たるゆえん

そこで『法律とは何か。』に対する答だが、まずもって法律は「人間がいっしょに住むことから生ずる生活のための規則」だ、と言っておこう。すなわち人類の「共同生活規範」ということになる。ロビンソン・クルーソーが絶海の孤島でたったひとりでの生活ならば、何の規則もいらないはずだ。もっともかれはそれまで共同生活をしていた惰力があるので、昼は起きて夜はねるもの、食事は三度たべるもの、ときめこんでいるかも知れないが、もしもはじめからひとりであったならば、いつどこで何をしなければならないというきまりはないわけだ。ところがフライデーという土人と主従いっしょに住むことになると、主人は小屋の奥にねる、けらいは戸口にやすむ、クルーソーが猟をしてフライデーが料理をする、というような生活の規則ができてくる。すなわち共同生活は規則生活なのであって、この規則生活なる共同生活をするのは人間である。

わたしは一九一二年から一四年にかけて留学生としてドイツで勉強したが、ベルリン大学でギールケ教授の講義を聴いた。ギールケ（Otto Friedrich v. Gierke）は当時ドイツ法学界随一の長老であったが、その代表作「ドイツ団体法論」（Das deutsche Genossenschaftsrecht）の第一巻第一ページ第一行を

„Was der Mensch ist, verdankt er der Vereinigung von Mensch und Mensch."

という一句で起した。直訳すると、

『何ガ人デアルカヲ、カレハ人ト人トノ結合ニ負ウ。』

というのであり、意訳すると、

『人間の今日あるは共同生活のおかげだ。』

ということになる。しかしその直訳でも意訳でも格言らしくないから、も一つ訳しかえて、

『人の人たるゆえんは人と人との結合に在り。』

とした。これは、二十七歳の時（一八六八年）に第一巻を出し七十二歳の時に第四巻をあらわしそして第五巻執筆中に惜しくも著者の天寿が尽きた何千ページの大著述の全趣旨の予告であるのみならず、人類進化生成発展の過去・現在・未来を一言で道破した千古の金言と感銘して、わたしはこれを処世の座右銘とし、また学問上の標語にしている。

しかしながら、これはもちろんギールケの新発見ではなく、そこへゆくと古代の中国思想は大したもので、既にそれより二千年をさかのぼって、そもそも人類は何の取りえがあって「万物の霊長」たりえたか、ということにつき、荀子は

『力ハ牛ニ若《シ》カズ、走ルコトハ馬ニ若カズ、而シテ牛馬用ヲ為スハ何ゾヤ。イワク、人ハ能ク群シ、彼ハ群スル能ワザレバナリ。人ハ何ヲ以テ能ク群スルヤ。イワク、分アレバナリ。分ハ何ヲ以テ能ク行ワルルヤ。イワク、義ヲ以テスレバナリ。故ニ義ヲ以テ分スレバスナワチ和ス。和スレバスナワチ一ナリ。一ナレバスナワチ多力ナリ。多力ナレバスナワチ彊《ツヨ》シ。彊ケレバスナワチ物ニ勝ツ。』

と説明した。まことに説きえて絶妙であるが、ただ一つ観念がハッキリしないのは「群」という言葉であって、それをギールケが「人と人との結合」と言いかえたところに、二千年の進歩があるのだ。洋語は単複の使い分けがハッキリしているので、ギールケは、「人」の複数形を用いて「人々の」（von

Menschen) と言わずに、単数語を重ねて「人と人との」(von Mensch und Mensch) と言った、そこが眼目なのである。

修身斉家　治国平天下

荀子は『牛馬ハ群スル能ワズ』と言ったが、牛馬よりもはるかに下等動物なる蟻や蜂でさえも秩序整然たる共同生活をいとなんでいるではないか、という議論があろう。だが蟻や蜂の共同生活は、一匹々々の蟻や蜂が自他の蟻格・蜂格を相互的に意識尊重しての「蟻と蟻との」また「蜂と蜂との」結合ではなくて、本能的な「蟻ドモノ集リ蜂タチノ群リ」にほかならぬ。しかるに人類は、各個人が自己の人格を意識すると同時に他人の人格を尊重し、自他人格の意識尊重のもとに親密な共同生活をいとなむのであって、これがすなわち「人の人たるゆえん」なのである。各個が独立なるがゆえに全体が結びつき、全体が結びつくがゆえに各個が特色を発揮する。粒ぞろいだから一連がかがやき一連だから一粒が光る水晶の数珠みたいなものだ。「独立」は「孤立」でなく、「分別」は「分離」とちがい、「全体において単一と衆多とが調和的に結合」する、これが「個人主義」と「全体主義」との中道を行くギールケの「団体主義」なのである。かくして生活が単に本能的でなくて意識的であることが人類の尊さであるところ、それが同時に人類の危険であって、本能的であればいつでも同じことをくりかえしていてまちがいがないが、なまじ意識的なので脱線の心配もあるのだ。

人類共同生活の根本問題は、全体と個体とをいかに両立調和させるか、ということに帰着する。数年前まで、老人は、「個人主義」が盛んになってわが国固有の家族制度がくずれはしないかと心配し、若い者は、個人の自由を束縛する「家族主義」の廃止を希望した。そして今日、新憲法と改正民法とによって、老人の心配したごとく、また若い者の希望した通りに、家族制度が廃止されて個人の自由が確立されたのであるが、そもそも個人主義と家族主義とはさように両立しがたいものなのであろうか。なるほどわが国旧来の家族制度なるものは、内には個人の人格を没却し外には国家・社会の利害を無視する「個家制度」に陥る気味があったのであって、それでは正しい家族生活は実現されえないのであるから、文字通りの家族制度ならぬ「戸主制度」が廃止されたのはまことに結構だが、元来、人格主義の意味の個人主義と団体主義の意味の家族主義とは、けっして氷炭相容れぬものではない。一家内の老若男女、生れたばかりの赤ん坊にいたるまで、それぞれの人格を承認尊重され、しかも親しき中にも礼儀ある道理と情愛の一家円満が、やがては国家・社会平安のいしずえとなる。これが理想の家庭生活であって、すなわち「人と人との結合」によって「人の人たるゆえん」を完成するものであり、民法改正は家庭破壊ではなく、形式的家族制度を実質的家族生活に切りかえようというのである。

さてまた人類が民族・地理・歴史の因縁によってそれぞれの国家を形造る以上、各人がその祖国を重しとするのはむしろ当然なことで、そこに「国家主義」が支配する。しかしながらこの場合にも、内には人と家とを無視し外には国際関係を考慮しない「個国主義」に走ったならば、これまた利己的個人主義にひとしく、ついにはかえって国家を危くするに至ること、われわれが最近の苦い経験によって骨身にこたえたところである。すなわち国家主義もまた、「人と人との結合」による「人の人たるゆえん」の成就でなくてはならぬのである。さらにまた、全人類が結局一つの共同生活であって、その国際関係がだんだん密接になってくるのは否認しえない事実であるから、他国を押しのけてわれ独り栄えんとする孤立的国家主義の採るべからざることは言うまでもない。しかしながらまた、各国の自主独立を無視し世界を打って一丸とせんとする意味の「世界主義」は、そもそも民族発達・国家形成の歴史に反するものであって、世界全体の平和と繁栄とは、諸国の独立対等を前提とする「国際主義」によってのみ期待されうる。すなわちこの場合においては「国と国との結合」によって「人の人たるゆえん」を発揮せねばならぬのである。

要するに、個人主義・家族主義・国家主義・国際主義を並立調和させ、これによって人と家と国と世界とを共に存し同じく栄えしめねばならぬのであって、孔子のいわゆる「修身斉家治国平天下」の大理想である。その理想は宗教と道徳との主として任ずるところであるが、法律もまたその重要な一方面を分担して宗教・道徳と協力する。従って法律知識の根本は、法律のこの重大任務、すなわち法律が人類の共同生活の準則であることの認識であって、「法学通論」はこの認識を与えるものでなくてはならぬ。各種法律に対する個々の知識ではない。全法律知識の出発点たる大見識である。

社会生活規範の二段階

『法律は社会生活規範である。』と言ったが、逆は必ずしも真ならず、『社会生活規範は法律である。』とは言えない。話のはじめにフナ釣りにたとえて、まだこれで寸分ちがわぬという法律の定義に出っくわさないと言ったが、なぜ今までの法律の定義がシックリしないかというと、イキナリ法律をかつぎ出してそれを道徳とくらべたりするからだと思う。まずもって、法律は社会生活規範の一つに過ぎず、しかも第一段ではない第二段の規範に過ぎない、ということを観念しなくてはいけない。江戸の小話に、

『父子《おやこ》して天神様へ参詣なしけるに、息子《むすこ》親父《おやじ》にむかい、この門の両脇にある右大臣左大臣というはどっちが右大臣でどっちが左大臣だ、と聞くに、親父まじめになり、よくおぼえておけ、ソレ、右大臣でない方が左大臣で、左大臣でない方が右大臣だ。』

というのがある。われわれとかくこの「右大臣左大臣論」をやる気味があるから、警戒しなくてはならぬが、法律と道徳とを右大臣・左大臣のように同平面に並べて考えることからが第一にまちがっているのだ。人間の共同生活規範がすべて法律なのではない。共同生活規範はほかにもいくつかあって、法律はその中で第一段の規範でさえもない。原始時代に法律のない社会があったことが想像されるし、空想家は法律のない社会を将来に予言する。その想像が事実か、その予言が的中するかはしばらく措き、ともかくも法律は、今日においてこそは人類共同生活規範の最も目につくものだが、人類の共同生活においてまず第一段に出て来たものではない。第一段に発生する共同生活規範は、宗教規範・道徳規範・礼儀規範・風俗規範・技術規範などであり、それら第一段規範の内容のそれぞれ一部分に何らかの力が加わって、第二段の社会生活規範たる法律がはじめて登場するのである。その「何らかの力」というのは、結局国家の権力だ。すなわち、人類の社会生活がだんだんと組織だってきて、部落に酋長というような中心勢力が生ずると、その酋長が第一段の社会生活規範中自分が特に大切と思う

ものを励行し、それにそむく者を圧迫することになってくるのであって、その部落が拡大し組織だって国家となり、酋長の地位が上り権力が強くなると、その作用がさらにいちじるしくなるのである。いわば法律は奥の院の観音様ではなくて、観音様の威力を表現する仁王様なのだ。

宗教と法律　観音様の仁王様のと言ったから、まず宗教と法律との関係から始めよう。第一段の社会生活規範としてまず第一にあらわれるのは、宗教規範であろう。当初は、ある自然力を畏怖するとか動物を崇拝するとかいうような極めて原始的幼稚なものかも知れないが、ともかく同じ神仏をおがむということで結びつくのが原始人の社会であって、そこに、ほかの神をおがんではならぬ、仏を礼拝するにはこういう儀式、というような規則ができる。

ところで試みに古代の宗教規範として名高い「モーゼの十誡」（旧約聖書出埃及《エジプト》記二〇章・申命記五章）を見ると、(1)ほかの神をおがむな、(2)偶像を造るな、(3)みだりにエホバの名をあげるな、(4)安息日を守れ、(5)父母を敬え、(6)殺すな、(7)姦淫するな、(8)盗むな、(9)偽証するな、(10)隣人の所有をむさぼるな、ということになっている。この(1)から(4)までは純粋な宗教規範だが、酋長なり国王なりがそれらの宗教規範に重きをおくと、背教者を宗教裁判にかけて、ほかの神をおがんだ者を火あぶりの極刑に処する、というような順序で、宗教規範がだんだんと法律規範になってゆくのである。そして西洋中世の宗教的国家においては宗教規範がすこぶる多量に法律化され、「教会法」（カノン・ロー）という一部門もできたような次第であった。しかし今日ではまたその大部分が純粋の宗教規範に還元されたが、それでもカソリック教国などにはある程度宗教的法律が残っている。現に西洋諸国法の通則たる協議離婚の禁止のごときは、『神の合せたまえるものは人これを離すべからず。』の宗教則の法律化である。わが国では古来の宗教たる仏教が結婚・離婚というような問題に無関心だったし、また現在では信教の自由が旧憲法以来保障されている関係上、積極的に宗教規範を内容とする法律はないが、宗教団体を法人化しまた宗教の弊害を防止する法律は存しうる。すなわち、明治以来「宗教法」が計画されたが物にならず、宗教団体を保護統制するための昭和十四年の「宗教団体法」も昭和二十年に廃止され、それに代った「宗教法人令」も昭和二十六年には「宗教法人法」におきかえられた。

道徳と法律　さて初期の宗教規範には、前記「十誡」の(5)以下のように、殺すなかれ、盗むなかれ、なんじの父母を敬え、というようなことが雑然と盛られていたものであったが、これらは道徳規範として分化発達し、宗教のいかんにかかわらず人類の社会生活においてすこぶる重きをなすに至った。この道徳規範の内容の一部分にもう一段力が加わってだんだんと法律規範になってゆくのであって、道徳的法律が法律中最も重きをなし、刑法などはほとんど全部道徳的法であり、しろうとは法律といえばすぐに「殺すなかれ」「盗むなかれ」の刑法を連想する。民法においても道徳的規定が中心だが、改正民法においては、一方に道徳・法律分離の傾向があると同時に、他面には道徳・法律再握手の現象も見られる。いったん法律になった道徳規範が再び法律でなくなることも珍しくないのであり、子の結婚に父母の同意がいるという古来の道徳規範に重きが置かれて法律になっていたのが、「婚姻は両性の合意のみに基いて成立」するという新憲法の新精神に即応する民法改正で法律でなくなったなどは、その適例である。さらにまた改正民法は、今までその親族法・相続法の中心だった家族制度の規定を全面的に道徳に返上したが、そのかわりにまた『直系血族及び同居の親族は互に扶け合わなくてはならない。』という純道徳的な規定を設けた。さらにまた、今までの第一条を繰り下げて新たに

第一条 私権ハ公共ノ福祉ニ遵フ
権利ノ行使及ヒ義務ノ履行ハ信義ニ従ヒ誠実ニ之ヲ為スコト要ス
権利ノ濫用ハ之ヲ許サス

という道徳味ゆたなか規定を、全民法典のあたまにかぶせた。これら道徳と法律との関係は、いずれまたのちに語る機会があろう。

礼儀と法律　ところで宗教と道徳とは心を修めて形に及ぼそうとするのだが、まず形を正しくして心を清めようとするのが礼儀である。礼儀規範も第一段の社会生活規範としてすこぶる有力だ。昔、漢の高祖が秦を亡ぼし楚を破って天下を統一したのち文武百官を会して祝宴を開いたところ、何分にも斗酒なお辞せざる樊噲のような豪傑連が戦勝の余威で盛んにメートルを上げ、『群臣酒ヲ飲ミ功ヲ争イ、酔イテアルイハ妄呼シ、剣ヲ抜キ柱ヲ撃ツ、』という乱痴気騒ぎにおわった。高祖これを憂いて叔孫通に礼を制せしめ、儀式を習熟させた上で再び宴を開いたが、今度はすこぶる秩序

整然和気藹々『敢テ喧譁シ礼ヲ失ウ者無シ。』というぐあいにいったので、高祖大いに喜び、『ワレスナワチ今日皇帝タルノ貴キヲ知レリ。』と言った、という物語がある。かくて礼儀規範は中国において特に発達し、孔子は礼楽をもって天下を治めるのを政治の理想とし、『能ク礼譲ヲ以テ国ヲオサメンニ何カアラン。』と言った。そして孔子のいわゆる『礼ニ非ザレバ視ルコトナカレ、礼ニ非ザレバ聴クコトナカレ、礼ニ非ザレバ言ウコトナカレ、礼ニ非ザレバ動クコトナカレ。』がすなわち礼儀規範であって、中世にはこれが法律の内容になっていたものもある。軍国時代の軍隊礼式、上官に敬礼しないと営倉、などというのも礼儀的法律と言ってよかろうが、現在では礼儀的法律というほどのものはないようだ。

風俗と法律　さらにまた、古代人の生活を支配した法則は、風俗規範、すなわち慣習「しきたり」である。「原始人は慣習の奴隷」といわれるが、慣習の力はえらいもので、今日のわれわれもいろいろの風俗に支配される。たとえば正月に門松を立て屠蘇を飲み雑煮を食うというような風俗にしても、何か宗教的な起源があるかも知れないが、起源や理由はとっくの昔に忘れられてしまったのちも、風俗はなかなか根強く行われ続けている。たまには一休和尚のような皮肉屋がいて、「冥途の旅の一里塚」などとけなしてもみるが、やはり門松を立てないと正月らしい気分がしないし、向三軒両隣みな立てているのにうちだけ立てないのも、というような気持から、正月の風俗が久しく守られてきた。戦争中から終戦後にかけて物資難のためやむをえず中絶したものの、近年は相当に復活したようだ。クリスマスの行事なども、元来ゲルマン風俗を教会が採り入れたものらしいが、その風俗がわが国に伝来してたちまち普及し、キリスト教信者よりもクリスマス信者の方の数がはるかに多そうな形勢で、ツリーを立てることが家庭の年中行事になりつつある。

かように風俗の規範力は相当に強いが、その風俗規範を内容とする風俗的法律はあまり多くなさそうだ。この「風俗的法律」は、のちに言う「慣習法」とはちがう。慣習法は法律が慣習の形式で行われるものであるが、ここで言うのは風俗規範を内容とする法律である。過去のものでは、絹物をきてはいけないの、ベッコウのくしをさしてはいけないのというかの水野越前守の奢侈禁止令などがその一例か。

技術と法律

もう一つ大切な共同生活規範は技術規範である。生活科学化というようなことがしきりに言われるが、衣食住についてもそれぞれ、きものの仕立方、家屋の建て方、飯のたき方などの法則がおのずから定まってくる。『はじめチョロチョロ、中パッパ、ジワジワ時に火を引いて、赤児泣くともふた取るな。』というのが「飯たき憲法」と落語家は言うが、ともかく飯はこうしてたくものというようなことがいつとはなしにきまって、一般普通に行われ、そしてそれが生活の各方面にわたりだんだんと複雑になってゆく。

ところで、前に言ったように、礼儀や風俗は今日では礼儀風俗そのものとして行われ、法律の内容をなさぬのを原則とするが、その反対に、近年技術的な法律がいちじるしく多くなってきた。家屋が丈夫かどうか、火がつきやすいかどうかは、人家のまばらな田舎ならばその家だけの問題だが、都会地では共同生活の利害である。瓦屋根は殺風景だとなげく風流人も、町なかにかやぶきを造ることは許されず、さらに大都会の中心地になると、必ず鉄筋コンクリートの防火建築でなくてはならぬというようなことになり、高さは何メートル以下とか階段はいくつ附けろとかいうようなことが、「建築基準法」及び「同法施行令」できめられる。狸の土舟のようなものを造られては旅客と荷主が迷惑するから、例えば「木船構造規則」、「鋼船構造規程」、「船舶設備規程」などというまるで造船教科書のような法律もある。「電気に関する臨時措置に関する法律」の細則などになると、何ヴォルト何キロワットで法律家の手に負えず、物価統制の法令などにも技術的な規定が多い。また「計量法」第三条第一号『メートルは、クリプトン八六の原子の準位$2P_{10}$と$5d_5$との間の遷移に対応する光の真空の下における波長の一六五〇、七六三・七三倍に等しい長さとし、』のごときは、科学的法律の好適例だ。これらの技術的法律がいちじるしく増加して法律中のかなりの部分を占めることになったのが、近来の動向だ。むしろ技術的なところに法律の特色があるのかも知れない。道路通行の人も車も自他に危険のないよう心がけねばならないというのは、交通道徳で、特に法律に規定しないでもわかりきったことだが、左側通行か右側通行かは、昔は「道路取締令」とか「自動車取締令」といった交通規則によってはじめて定まり、それが昭和二十三年一月一日からは道路交通取締法、昭和三十五年からはそれに代った道路交通法(一〇条)により、人は右を車は左の対面交通、ということに改正されたりしたのだ。

実体法と手続法

元来、かような純技術的法律のほか、普通に法律といわれるもののうち多数のかつ重要なものが、技術的法律なのである。たとえば国会法・衆議院規則・参議院規則・公職選挙法は、いかなる議会制度を採りまたいかにして議員を選ぶのが国政を議する上に最も適当か、という政治技術問題である。行政組織については、内閣法・国家行政組織法・総理府その他の各省の設置法・警察法・消防法などがある。財政関係では、会計検査院法・財政法・会計法・国有財産法・国税通則法・国税徴収法その他各種の税法がある。地方制度としては、地方自治法・地方公務員法・地方財政法・地方税法など。さらに裁判所法・検察庁法・弁護士法、それから民事訴訟法などは、いかなる裁判所の組立といかなる訴訟手続とによって是非曲直の公正にして慎重な判断が遂げらるべきかの司法技術問題だ。その他、労働組合法・労働基準法・労働関係調整法・厚生年金保険法・失業保険法・健康保険法・職業安定法等の労働関係法規、教育基本法・学校教育法等の教育法規、社会福祉事業法・更生緊急保護法・生活保護法・災害救助法・児童福祉法等の社会事業法規、医療法・医師法・保健所法・薬事法・優生保護法・食品衛生法等の衛生法規など、その内容の大部分は技術的法律である。

学者は法律を区別して「実体法」「手続法」とする。あまりハッキリした分類でもないが、その手続法なるものは結局技術的法律だ。そして実体法の中にも、技術的規定は相当にある。たとえば商法中の会社・手形・保険等に関する規定は、技術的法律たる色彩がいちじるしい。また、だいたい道徳的法律たる民法においてさえも、『私権ノ享有ハ出生ニ始マル』(一条ノ三)、『満二十年ヲ以テ成年トス』(三条)、『未成年者が婚姻をしたときは、これによって成年に達したものとみなす。』(七五三条)、

『各人ノ生活ノ本拠ヲ以テ其住所トス』（二一条）等、命令・禁令でない規定がいくらもある。従来法律というものは、道徳的の「スベシ」「スベカラズ」の規則すなわち「行為法」であるように考えられたが、しかしかような命令・禁令でない「組織法」とでもいうべきものがすこぶる多いのである。

さてこの「実体法」と「手続法」だが、いわゆる「六法」の中で、憲法・民法・商法・刑法は実体法、民事訴訟法・刑事訴訟法は手続法、ということになっている。そしてそれを「主法」「助法」とも言うところから、実体法は主要なもの、手続法は補助的なもの、と考えられやすい。大学でもだいたい、憲法・民法・刑法の講義がまず始まり、民事訴訟法・刑事訴訟法は次の学年からとなっており、政治科・経済科・商業科では訴訟法を聴講する機会はなさそうだ。また学生としても、民法・刑法はわかりよく、変化もあり、自身の実際生活にも幾ぶん触れているところから、多少の興味をもって勉強もするが、民事訴訟法・刑事訴訟法となると、むずかしくて乾燥無味に感じられ、その上のぞいてみたこともない裁判所内のことなので、めんどうくさいもの・つまらないものときめ込んで、聴講・読書に身が入らない、ということになりがちだ。しかしそれは法学修業の本当の道でない。法律らしい法律は、主として道徳的法律たる実体法ではなくて、むしろ、主として技術的法律たる手続法なのだ。人の所有物を盗むべきでない、盗品は取り返せる、盗人は処罰される、貸した金は取れる、借りた金は返さねばならぬ、それが実体法だが、そこまでは刑法・民法を知らない人にもわかる。それは道徳だからだ。ところが、盗品をどうして取り返すか、貸金を取り立てる方法いかん、盗人を罰する手続は、という段になると、どうしても民事訴訟法・刑事訴訟法のごやっかいにならねばならぬ。それは技術だからだ。のちに法律進化の話をするが、法律発達の由来をさかのぼってみると、大体において手続法がまず発生発達してそれが実体法発生発達の誘因となるのが順序のようだ。現在では実体法と手続法とはなるべく別の法律として規定されることになっているが、同一法律中に盛られる場合にも、たとえば破産法が第一編実体規定・第二編手続規定となっているように、実体法を先にし手続法を後にするのが普通だ。ところが古代の法律を見ると、必ずしもそうでない。たとえば、有名なローマの古法「十二表法」（紀元前四五十年頃）の第一表は法廷召喚の規定であり、また徳川八代将軍吉宗時代にできた「公事《くじ》方御定書《かたおさだめがき》」いわゆる「百箇条」の第一条は、「目安裏書初判之事」すなわち訴状受理手続の規定であった。要するに、まず訴訟が起らなくては事が始まらず、その落着によってだんだんと法律が固まってゆく。これについては、またのちに語る機会もあろうが、民法・刑法がよくできていても、民事訴訟法・刑事訴訟法がよく働かなくては、個人の利益も保護されず、社会の安寧秩序も維持されない。それゆえにこそ、手続法の方が実体法よりも法律らしい法律だ、と言ったのである。手続法はもっと大切にされなければならない。少くも、手続法なるがゆえに軽視すべきではない。

積極的法律万能思想

従来普通に行われてきた法律の定義はいわゆる「国家命令説」で、それが今日なお隠然たる勢力があるようだ。すなわち『法律ハ国家ノ命令ナリ』というのだが、これは正に問をもって問に答えるもので、何を命令するかの内容を盛らず、いっこう定義になっていないのみならず、国際法を含まない不都合がある。しかし、それら理論上の欠点はともかくも、わたしが右の定義を好まない最大の理由は、国家は何事でも法律をもって命令しえざるなしという法律万能思想に導きはしないか、ということである。江戸の小話に、

『さる国の殿様、お屋敷近く火もえ出で、御居間へ移る騒ぎ、殿様うまれてから初めての類焼に大うろたえにて、ようよう御下館《おしもやかた》へ御立退なされ、翌日みなみなを召し集められ仰せ出されるようは、此後火事法度《はっと》』

というのだ。火災を防ぐ最良の策は、家屋を耐火建築にすることである。もしまた法律を防火の一助にしようというなら、合理的・具体的な火の用心の規則を設くべきだ。「火事法度」という抽象的命令では、自火も防げず類焼も免れえない。

従来しきりに「法科万能」が非難される。役所の幹部として法学士がはばをきかせ過ぎる、ということらしい。はばをきかせ過ぎるのはよろしくないが、法学士が官庁で重きをなすのはむしろ当然のことで、大臣はともかく、次官・局長・課長以下の事務当局が法律を知らないで勤まるものではない。「法科万能」がいけないのではなくて、役人が法律家なるがゆえにとかく万事を法律ずくめにしたがる「法律万能」がよろしくないのだ。そして法律家がややもすれば法律万能になるのは、法律を勉強し過ぎるからではなくて、かえって法律の本当の勉強が足りないからだと思うが、元来法律万能思想は法律家だけの悪癖ではなく今日における一般の通弊だ。しろうとがどうしてなかなか法律万能である。それは結構なことだ、法律できめろ、けしからん、法律で禁じろ、とすぐに言いたがる。かようにに万事を法律だけで片附けようとするのを、かりに「積極的法律万能思想」と名づけよう。以前には、

どうも家族制度がゆるんできた、子が親をバカにして困る、ひとつ民法を改正して戸主権・親権をもっと強くしろ、というような議論が強く主張された。そうかと思うと、戦後、民法が逆の方向に改正されて、戸主権がなくなり親の権利が弱められると、「家庭崩壊」と憂慮する老人もあれば、「家庭解放」と痛快がる若人もある。それらについてはまたのちに申そう。英国の議会が有力だということを言いあらわす言葉として、『男を女となし女を男となす以外には為し得ざることなし。』と云うが、これは、議会すなわち立法の有力を誇る言葉であると同時に、またその無力を白状する言葉にもなる。すなわち、英国議会の有力をもってしても自然を変更することはできないのであって、法律には限界があり、けっして万能でない、ということを心得ねばならぬ。

江戸時代に『きかぬもの、たばこ法度《はっと》にぜに法度』という言葉がある。喫煙禁止令と通貨偽造罰則とはききめがない、というのだ。禁酒法が以前米国で採用されたことがあるが、やはり「きかぬもの酒法度」を立証しただけで廃止されたようだ。禁酒の可否と禁酒法の可否とは別問題であることを知らねばならぬ。江戸小話に、

『酒もらった。温《あたた》めてあるから一杯せい。イヤおれはちと願《がん》があって、三年禁酒した。これは心もとない、合点《がてん》が行かぬ。ハテきびしく飲まぬところを見て、おきやれと云って帰る。次の日みな飲んで居るところへ、酒のみに来たと言って来る。亭主もあきれて、それ見やれ、きのうの事もう破るか。やぶりはせぬが、おれもはつめいを出して、三年の禁酒を六年にして夜ばかり飲むつもりじゃ。是は尤じゃが、とてものこと十二年にして昼夜のみやれ。』

というのがある。禁酒法下の米国にも、いろいろと「はつめいを出して」昼夜飲んだ連中があるらしい。

消極的法律万能思想

かような次第で、積極的法律万能思想が横行する反面に、その逆作用として「消極的法律万能思想」という危険思想がはびこる。極左とか極右とかいういわゆる危険思想は一部少数の人々に限ったことがらだが、これは一般に共通な危険思想だ。昭和二十三年の夏以来、入墨が急にはやり出したという。そしてその直接原因は、警察犯処罰令に「刺文」すなわち入墨を罰する規定があったのにそれに代った同年五月一日公布の「軽犯罪法」にその規定がないためだ、というのだから驚く。軽犯罪法が入墨の罰則を廃したのは、けっしてそれを是認する意味ではなく、そんな蠻風が今日復活しようとは思いも寄らず、そんな禁令が新しい法律に載せられることすら恥しいと考えたのだろうと思うが、法律の禁止さえなければ天下御免だという考え方がこれほどまでにテキメンだろうとは意外だった。なお「軽犯罪法」という名前も考え物だ。犯罪ではあるが軽いもので、そむいても大したことでない、という感じを起させはしないだろうか。おれは法律に触れるようなことはしない、と自慢する人があるが、法律にそむかないのは当り前の話で、それが自慢になるようなことではなさけない。そしてこの、法律に触れさえしなければ、というのが昂じると、法律をくぐる工夫をするようになる。この法律を裏切るいわゆる「脱法行為」は、真正面から法律を破る「違法行為」よりもさらに憎むべき所業であって、正に法律にとっての獅子身中の虫だが、この消極的法律思想の毒虫のわく淵源は、万事万端法律一点張りの積極的法律万能思想である。

法治と徳治

論語為政第二に孔子の言葉として、今日の政治家・法律家にとって頂門の一針ともいうべき金言が掲げてある。それは、

『コレヲ道ビクニ政ヲ以テシ、コレヲ斉《トトノ》ウルニ刑ヲ以テスレバ、民免レテ恥無シ。コレヲ道ビクニ徳ヲ以テシ、コレヲ斉ウルニ礼ヲ以テスレバ、恥有リテ且格《イタ》ル。』

である。今日の実際上「免レテ恥無シ」の醜態目に余るものがあるが、それは一般人だけの罪であろうか、政治家・法律家の罪であろうか。孔子はそれを後者なりとして、為政者に苦言を呈したのである。国家は「警察国」から「法治国」に進化したのであって、われわれの生活がいちじるしく法律的になった今日、法律知識の必要は申すまでもないことだが、現在においては法律知識があまり一方に偏していはしないだろうか。元来、大昔には法律専門家という者はなかったのだろう。昔の聖人は、聖徳太子にしろモーゼにしろ孔子にしろ、宗教・道徳・法律を併せた人生の大導師であって、法律専門家ではなかったのだ。ところがその後、国家生活の進展とともに法律専門家を生じ、法律学が倫理・道徳の学問から分離して独立の発達を遂げた。中国では孔孟の次の時代から法律学のめばえが見え始め、「管子」「韓非子」などのなかなかりっぱな法律論も出たのだが、その方面のいわゆる「法家」の学者の思想偏狭にして人格円満を欠く等のために「儒家」の人々から「刑名法術ノ徒」といやしめられ、十分の発達を遂げずにおわったのは遺憾だった。すなわち儒家の方では「徳治」を主張し

て「法治」を排斥したのであって、前に出した「子ノタマワク」はその第一声と言ってよい。当時の王侯諸大夫に対する一大痛棒だったに相違ないが、さて翻って考えると、徳治と法治とが果して、あちらを立てればこちらが立たず、というような氷炭相容れざるものなのであろうか。徳治と法治とが両立しないように見えるのは、徳治と法治とを強いて両立させようとするからである。道徳と法律とを同一平面のレヴェルに置いて、道徳か法律か、とくらべるから衝突するのだ。道徳は第一段の社会生活規範、その一部分と他の第一段規範のそれぞれ一部分とを併せて強化された第二段の社会生活規範が法律、こういうふうに考えたらばどんなものだろうか。こういう二段構えからわたしの法律の定義が生れる。

法律の定義

そこでいよいよ法律の定義だが、まずもって、そもそも定義とは何ぞや、という「定義の定義」からきめてかからねばならない。定義は「類概念」と「種差」とを兼備する事物の表示である、とでもしておこうか。すなわち、その事物の属する類とその類の中の他の種との差とをならべると、その事物の概念が浮ぶのである。きわめて卑俗な例を挙げると、『牛とは何ぞや。』を説かんとしてまず『牛は四足の獣である。』と言えば、牛を含む「類概念」を示したことになる。しかし四足獣の類中には牛のほかにも馬もあり犬もあり猫もあるから、「四足の獣」だけでは牛の定義にならないのであって、つぎに右の類中の他の種との「種差」を挙げねばならない。その種差としてはいろいろあろうが、手近なところでそれぞれの鳴き声を取り上げ、馬のヒン、犬のワン、猫のニャーに対して、『牛はモーと鳴く四足の獣である。』とやれば、甚だ幼稚ながら牛の定義になろうか、というものだ。そこで法律の定義だが、法律の属する類は「社会生活規範」であり、その類中の他の種なる宗教・道徳・礼儀・風俗および技術の諸規範との種差は、内容上の差ではなくて、他のものは第一段の社会生活規範であり、法律は他の諸規範の内容のそれぞれ一部分ずつを内容とする第二段の社会生活規範だ、という点に存する。そこに目を着けて法律を定義すると、

『法律は社会生活規範が社会力特に国家権力によって強行されるものである。』

ということになる。「法律は社会生活規範が」というのは、「牛は四足の獣」にあたる類概念である。そこで種差だが、「モーと鳴くもの」というような簡単なわけにいかないけれども、試みに「社会力によって強行されるもの」としてみた。もっとも他の社会生活規範も結局は社会力によって行われるのである。道徳は独りを慎み自己の良心によって行われるというが、その良心なるものが訓練されたのは永年の社会共同生活の結果である。またたとえば正月に門松を立てるという風俗規範のごときも、門並み立てているのにうちばかり立てないでは、という社会的圧力によることは前にも述べたが、その社会的圧力が無くなるとたちまち行われなくなる。同様に、宗教的規範の違反については不信心者と思われるだろうということ、礼儀規範の違反については無礼者とつまはじきされるだろうということ、技術規範の違反については生活上にさしつかえること、が規範推進の圧力である。しかしながらそれは、組織だてられて具体化し殊にそのための機関によって「強行」されるというほどまでには至らないのであって、そこまで力強いものになると、それが第二段の社会生活規範なる法律規範になる

のだ。そして第一段の社会生活規範には、そこまで強行されうるものと強行されえないもの、すなわち、第二段規範たる法律になりうるものとなりえないものとがあるのである。「強行」というと「無理じい」というふうに聞えて言葉がおもしろくないが、英語で言えば“enforce”で、第一段の社会生活規範に社会力がさらに加わる、という意味である。そして社会生活が拡大強化し社会力が十分組織だてられて国家権力となると、それによって強行される社会生活規範の法律であることが顕著となるゆえ、「特に国家権力」と言ったのである。現在の国法だけを定義するならば「社会生活規範が国家権力によって強行されるもの」としてもいいのだが、国家以前の社会の法律すなわち古代法および国家よりも広い社会の法律すなわち国際法をも含ませたいので、「社会力特に」の一句をはさんだ。まだどうもスッキリしないうらみがあるが、ともかく一応そういうことにしておいて話を進めよう。

それにしても、この定義は甚だ抽象的・形式的で、具体的・実質的でない。これを具体的・実質的ならしめて「法律とは何か」を納得させるためには、法律というものを、われわれの共同生活現象として、ただ一面的でなく、多面的・立体的に観察せねばならぬ。そこで便宜上これを「作」「在」「成」「行」「守」の五つの漢字にあてはめて、できるだけわかりやすく説明してみたい。すなわち法律は、「作るもの」であり、「在るもの」であり、「成るもの」であり、「行うもの」であり、「守るもの」である、ということになるのだ。

第二話　法律は作るもの

旧憲法の立法　法律は国家が作るものだ、というのが、今日のわれわれの常識だ。たしかにそれに相違ない。国家の「三権」は「立法」「司法」「行政」であり、その「立法」が法律を作る国家のはたらきであることは、だれでも知っていることだが、国家のどういう権力が法律を作るか、という考え方が、旧憲法と新憲法で大分ちがう。

旧憲法すなわち大日本帝国憲法では、

『天皇ハ帝国議会ノ協賛ヲ以テ立法権ヲ行フ』（五条）

『天皇ハ法律ヲ裁可シ其ノ公布及執行ヲ命ス』（六条）

とあって、天皇が法律を作る、という建前になっていた。そして、帝国議会の

『両議院ハ政府ノ提出スル法律案ヲ議決シ及各〻法律案ヲ提出スルコトヲ得』（三八条）

ることになっていたのである。議会の可決した法律を天皇が裁可公布しなかった実例は一回もなかったけれども、議会が議決するのは「法律案」で、「法律」は「天皇ノ名ニ於テ」作られるのであった。

これが狭い意味の「法律」であることは前に述べたが、この「法律」だけが国法ではなかった。すなわち、

『天皇ハ公共ノ安全ヲ保持シ又ハ其ノ災厄ヲ避クル為緊急ノ必要ニ由リ帝国議会閉会ノ場合ニ於テ法律ニ代ルヘキ勅令ヲ発ス』（八条一項）

ることができた。これがいわゆる「緊急勅令」であったが、さらにまた、

『天皇ハ法律ヲ執行スル為ニ又ハ公共ノ安寧秩序ヲ保持シ及臣民ノ幸福ヲ増進スル為ニ必要ナル命令ヲ発シ又ハ発セシム』（九条）

ることになっていた。そして、法律で定めなければならない「立法事項」に対し、他方いわゆる「大権命令」の領分も相当に広かったが、いずれにせよ、法律は天皇が裁可公布し、命令は天皇が発しまたは発せしめるのであって、結局天皇が「法律を作る」のであった。

新憲法の立法　ところが、昭和二十一年十一月三日公布同二十二年五月三日施行の「日本国憲法」に至って、立法の観念が一変した。すなわち第七条によって、法律を公布するのは天皇の「国事に関する行為」になっているが、法律を作るのは天皇ではなく、国会である。すなわち第四一条に、国会は『国の唯一の立法機関である』とあり、第五九条によれば、『法律案は両議院で可決したとき法律となる』のであって、かくして成立した法律を天皇が公布するのである。「両議院で可決」というのは、両議院が別々に議決してその原案賛成または修正の意見が一致したことを言うのであるが、『衆議院で可決し、参議院でこれと異なった議決をした法律案は、衆議院で出席議員の三分の二以上の多数で再び可決したときは、法律となる』（五九条二項）のであって、旧憲法の貴族院・衆

議院対等とちがい、この点でも参議院に対する衆議院の優位がいちじるしい。

新憲法では、右の国会立法のほかに、内閣が「政令」を作ることを認めているが、これは「憲法及び法律の規定を実施するために」制定されるものであるから（七三条）、旧憲法の大権命令とはちがって、法律と対立する別個のものではなく、いわば法律の部分であり延長である。すなわち、新憲法下における国法は結局法律一本であり、国会が「唯一の立法機関」なのである。

この「法律一本」の大原則に対し例外として、国会自律・司法権独立および地方自治の建前から、法律以外の三小立法を認めた。第一に、『両議院は、各〻その会議その他の手続及び内部の規律に関する規則を定め』うる（五八条）。第二に、『最高裁判所は、訴訟に関する手続、弁護士、裁判所の内部規律及び司法事務処理に関する事項について、規則を定める権限を有する。』（七七条）。第三に、『地方公共団体は、その財産を管理し、事務を処理し、及び行政を執行する権能を有し、法律の範囲内で条例を制定することができる。』（九四条）。

成文法　さて以上の法律・命令・政令・規則の類の原案を立案作文しまた審議決定するについては、それぞれの当局者もあり手続もあることだが、要するに法律は人間が「作るもの」であり、確定的な文章に書きあらわされるところから、これを「成文法」という。わが国今日の法律は、ほとんど成文法である。「ほとんど」どころか「すべて」成文法ではないか、と言うかも知れないが、それ然りあにそれ然らんや、そこのところはしばらくお預りにしておこう。

法律を作るということは、かなり古くから行われたのであって、現在テキストの残っている世界最古の成文法は、三、四千年前かと思われるバビロンのハンムラビ王の楔形文字法典だが、それが既に相当整った形式のものだから、その以前にも法律が作られていたものと思われる。西洋諸国で名高いのは、紀元五三三年のローマのユスティニアヌス皇帝の法典、一八〇三年のフランスの「ナポレオン法典」などである。自分の名前をかぶらせた大法典を作るということは、英雄・帝王のアンビションであって、この両法典はその所産である。フリートリヒ大王にも民法草案があり、それから系統を引いて一七九四年のプロイセン民法典が作られ、さらに一八九六年のドイツ民法典になった。ドイツ民法典は一九〇〇年一月一日に施行されたが、当時のカイザー・ヴィルヘルム二世は大得意で、『慶賀新年・慶賀新世紀・慶賀新法典』と祝わせたという(元日午前零時にビールの満を引いて「プロージット・ノイヤール」と呼びかわすのが、ドイツの正月風俗だ)。

わが国では、天智天皇の御代に「近江令《おうみりょう》」大法典が作られたことが歴史に見えるが、今日その内容は判らない。次いで文武天皇の大宝元年(西暦七〇一年)に有名な「大宝律令《たいほうりつりょう》」という大法典が作られたが、これも原典は散逸していて、万葉集その他に引かれている法文を寄せ集めて、大体の原形を復原できた程度である。古代の法典で今日そのテキストをはっきり伝えているのは、「大宝律令」から十七年後、元正天皇の養老二年(西暦七一八年)に作られた「養老律令《ようろうりつりょう》」である。いずれも唐の律令を手本にして作られたものだ。飛んで武家時代には、北条氏の「御成敗式目」(貞永《じょうえい》式目)とか徳川氏の「公事《くじ》方御定書《かたおさだめがき》」などがあるが、大してまとまった法典はなかったところ、明治維新のいわゆる

「文明開化」の実現として、あらゆる方面の法令が続々と作られ、わが国が一躍して「成文法国」になったのである。

六法全書　成文法国の象徴は「六法全書」だ。「六法」とは、憲法・民法・商法・民事訴訟法・刑法・刑事訴訟法の六法で、これらが大学の講義と行政科試験・司法試験の主要科目なので、聴講用・受験用の法規集がこの六法を中心として編集されてかく命名されたわけなのだ。そして今日でも携帯用の主要法令集が便宜上「六法全書」と標題されているが、内容及びその排列は必ずしもその名の通りでなく、むしろ憲法・行政法・民事法・刑事法・産業法・社会法の六法と言った方がよさそうだ。最近のある「六法全書」の項目を見ると、

《公法》
　憲法
　国会法
　裁判所法
　行政組織法
　財政法
　警察防衛法
　土地法
　教育法

《民事法》
　民法
　商法
　民事訴訟法

《刑事法》
　刑法
　刑事訴訟法

《社会・経済法》
　社会法
　経済法
　〈企業〉〈金融・証券〉〈貿易・為替〉〈商工業〉〈農林・水産〉〈鉱業・エネルギー〉〈運輸〉〈通信〉〈経済諸法〉
　無体財産法

《条約》

ということになっているが、これで今日の法律の分野が大体わかる。そしてその「六法全書」に載せられている法令の数も五百余という多数にのぼっているが、これは目ぼしいものを拾っているだけなのだから、現行法令の総数は何千何百あるか、見当がつかない。そしてそれらがまた断えず変動している。旧法の廃止と新法の制定、全部改正と一部変更、細則と特例、前後左右送迎応接にいとまがない。殊に終戦を境として憲法を筆頭に諸法一新、明治維新が正にこうであったろうかと思われる。そしてその余震がなかなかやみそうもなく、最新版の「現行法令集」を取り上げて見ても、その全部が「現行」であるとは請け合われない。それゆえ、裁判をする場合などにも、ウッカリすると、既に廃されている法律で罰したり、その時にはまだ効力を生じていなかった法律を当てはめたりしそうで、けんのんだ。法律を研究するにも運用するにも、その場合の現行法は何か、ほかに細則や特別法がありはしないか、というようなことを常に注意せねばならぬ。

法令の用語・文章　ところで法律を「作る」というのは、「第一条……」「第二条……」「第三条……」と文章に書くのだから、その用語と文字が問題になる。法文は一方においては正確でなくてはならず、他方においては平易でなくてはならぬのだが、この「正確」と「平易」との両立がなかなかむずかしいことで、あちらを立てればこちらが立たぬことになりがちだ。徳川時代の制札やお触れの文句などは、今の眼で見ると甚だ不正確なものだが、その代り威厳がありまた親しみがある。「武野燭談」に、

『本多作左衛門は下の情を能く考え知りたる者なり。三州にして壁書の条々を定めらるるに、百姓共一向これを用いず、いかがせんと各々相議せられけるに、作左衛門重次申しけるは、土民はいろはをだにしかじか知らざるところに、堅き文言《もんごん》に古びたる言葉を以て高札を立てられたれば、何という事を知らざるゆえなり、致しようこそあらめ、われにまかせられよとて、いかにもまめに、いろはにて何々の事と書きて、これをそむくと作左がしかる、と書きて加えしより、国々必至と法令に背かざりしとぞ。』

という物語がある。文中「壁書」とあるのは、「ヘキショ」とも「かべがき」とも言い、壁にはり出して公布する意味で当時法令をそう言ったもので、武田信玄壁書などというのがある。重次は本多重次で、「仏高力《ほとけこうりき》、鬼作左、どちへんなしの天野三郎兵衛」と言われた「鬼作左」なのだから、「作左がしかる」がよくきいている。

ところが明治中期以後法文が漢文口調になり、えらくむずかしい文字を使うようになった。たとえば「警察犯処罰令」すなわち往来でこうしてはいけないああしてはならぬ、というような日常生活の禁令に、「公衆ノ目ニ触ルヘキ場所ニ於テ袒裼、裸裎シ又ハ臀部、股部ヲ露ハシ」とあるなどは、ずいぶん甚しい。往来中で肌をぬいだり裸になったりするような連中をつかまえて、おまえは「タンセキラテイ」したから科料だぞ、などは全体無理な話だ。また時としては、法文がきわめて抽象的で、起草者たる専門法律家の独り呑込みのこともあった。そしていつのまにか法律文にはコンマ・ピリオドを切らず仮名は片かなでにごりもつけないという鉄則ができて、法律がなおさら読みづらく親しみにくいものになってしまった。さすが当局もこの欠点に気がついて、大正十五年六月一日若槻総理大臣の名で、「法令形式ノ改善ニ関スル件」という内閣訓令を出したが、にごりを付けることになった以外は、いっこう改善もされなかった。

かように明治中期以後の法令は、だんだんと難解複雑専門的なものになって、しろうとわかりがしなくなってきたのだが、明治初年の法律には、かの警察犯処罰令にあたる「違式詿違条例」なるものがあって、「詿違《カイイ》」（あやまりたがう）という名前はむずかしいが、内容はすこぶる通俗で、「三尺以上ノ長綱ヲ以テ馬ヲ牽ク者」の禁に「但長綱ト雖モ三尺ニ縮《ツカネ》テ用ユル者ハ此限ニアラズ」、また「男ニシテ女粧シ女ニシテ男粧シ」てはいけないという制止に「俳優歌舞妓ハ此限ニ非ズ」というような親切な但書が附けてある。明治初年の法令で通俗的という点から最も注目すべきものは、明治七年一月十八日太政官布告第五号「海上衝突予防規則」である。これは総ふりがなつきで、御丁寧様にも右側に発音のかな、左側に説明のかながふってある。すなわち標題から、右に「かいじやうしようとつよばうきそく」、左に「うみのうへつきあたりようじんのきまり」とあり、その内容も、

第三条《だいさんでう》　蒸気船《じやうきせん》航海中《かうかいちう》《とかいのうち》は必《かなら》ず左《さ》の諸燈火《しよとうくわ》《それ〳〵のあかり》を標《へう》《あげる》すべき事《こと》

甲　前下檣頂《ぜんかしやうちやう》《まへのしたばしらのさき》に白燈《はくとう》《しろとうろう》を標《へう》《あげる》す（下略）

乙　右舷《いうげん》《おもかぢ》に緑燈《りよくとう》《あをとうろう》を標《へう》《あらは》す（下略）

丙　左舷《さげん》《とりかぢ》に紅燈《かうとう》《あかとうろう》を標《へう》《あらは》す（下略）

というようなぐあいである。そして右第三条に「附言」として

檣頂《しやうちやう》《ほばしらのさき》の白燈《はくとう》《しろとうろう》及《および》左右《さいう》《ひだりみぎ》の紅緑燈《こうりよくとう》《あかあをとうろう》を能《よ》く記憶《きおく》《おぼえる》する為《ため》の歌《うた》あり

大船《おほふね》にともすともしび上《うへ》は白《しろ》　みぎはみどりに左《ひだり》くれない

此歌《うた》を暗記《あんき》《そらんずる》し置《お》くべし但《たゞ》しみぎのみの字《じ》はみどりのみの字《じ》なれば覚《おぼ》え易《やす》し又《また》英亜《えいあ》《イギリスアメリカ》等《とう》にては「ポート、ワイン」（ポート産《さん》の赤酒《せきしゆ》《あかさけ》）は赤《あか》しと云《い》ふことを記憶《きおく》《おぼえる》すべしと云《い》へり是《こ》れ左舷《ポート》《とりかぢ》と「ポート、ワイン」の語《ご》よく対《たい》して共《とも》に赤《あか》きを以《もつ》てなり

と書き添えてある。音訓総ルビ附きで「三十《みそ》一文字《ひともじ》」と記憶術と西洋の地口《じぐち》まではいっている法文というのはすこぶる珍だが、この布告は、大汽船の船長だけでなく、船頭・漁夫にも十分呑みこませねばならぬ規則ゆえ、特に意を用いたものらしく、平がなにしたのなどもなるべく親しみのあるようというのだろう。このような法案を終戦前の法制局にでもかつぎこんだら、さだめし笑われ叱られたことだろうが、しかし結局はこれが本当の法律ではないだろうか。今日の法律に和歌を入れろではないが、和歌でも入れるくらいのやわらぎがあってほしいものだ。

口語体法文　法文を口語体にせよ、ということが永年主張されてきた。新聞・雑誌をはじめ日常目に触れる文章がほとんどすべて口語体になったのに、日常生活の規則たる法律だけが頑固に旧式な文語体に執着していたのは、むしろ不思議なくらいだったが、終戦後の百八十度転回により、昭和二十一年の中ごろから、すべての法令が口語体平がなで書かれることになった。にごりが附き、

コンマ・ピリオドが打たれたことはもちろんだ。そして二十二年一月のものからは新かなづかいになり、さらに漢字の略体を用い、漢字の熟語の一字をかなで書くことをも辞せぬことになった。従って文章も大分やさしくなった。たとえば例の警察犯処罰令に代った昭和二十三年五月の「軽犯罪法」では、かの「タンセキラテイ」のくだりが『公衆の目に触れるような場所で公衆にけん悪の情を催させるような仕方でしり、ももその他身体の一部をみだりに露出した者』となっている。とにもかくにもまことに結構なことだが、新憲法や新民法なども、まだ文語の「ナリ」を「である」に書き直しただけの気味がないでもなく、漢文口調が残っていたり英文和訳調が顔を出したりで、さらに一段の「アク抜き」が望ましい。コンマ・ピリオドの切り方などもいま一工夫あるべきで、むしろ細かに切り過ぎてかえって意味の取りにくい箇所もあるようだ。なお昭和二十二年の民法改正は主として第四編・第五編の書き直しなので、一つの法典の前半が文語体片かな、後半が口語体平がな、という木に竹をついだようなていさいになっている。そのうちに前三編をも全部的に改正して、全法典を口語体に書き直さねばなるまい。

ところでこれは法律文だけの話ではないが、口語体を完成するためには、まず言葉から直してかからねばならない。文章の理想は、目で見なくてはわからない――ことによると目で見てもわからない――文章でなしに、耳で聞いてわかる文章であることだ、と思うが、法律家は不必要にむずかしい文字を用いるほか、訓で読んだらよさそうなところを音《おん》で読む悪い癖がある。たとえば「譲渡」は「ゆずりわたし」と言えばよいのに「じょうと」と言い、「立木」を「たちき」と読まずに「りゅうぼく」

と読む。もっともあとの二つはちがうのだそうで、先輩の某教授が、「たちき」と「りゅうぼく」の相違は「たちぐい」と「りっしょく」のごとし、という名言をはいたことがあるが、ともかくもしろうとには「りゅうぼく」ではわからない。音で言うとしろうとにはわからない、という江戸小話を二つ。

『伊勢屋のおやかたが「がんびょう」とかでござると聞いて台所まで行き、うけたまわれば、だんなさまが「ごがんびょう」じゃげにござりますが、いかがでござりますといえば、奥よりだんながもみのきれにて目を押さえて出られ、オオ助七かよう来やった。ヘイ「ごがんびょう」の御見舞にめいりやした。ヤアだんな、あなたのお目はどうなされやした。』

『新玉の春、門《かど》には松を飾り、家内雑煮食うて居るところへ、大黒屋福右衛門御慶申入れます、まず御機嫌よく御越年なされましてめでとうござります、というところへ、男が金杓子《かなじゃくし》をなげこむ。これはこれは「ごねんぎょく」かたじけのうございます、というて帰し、さてさてよい物をくれた、幸いだおろしてつかえ、と給仕して居る下女にやれば、下女持って勝手へ立ち、これ長助どの、江戸では金杓子を「ごねんぎょく」というか。』

法令の標題　憲法以外の法令には「大正何年法律第何号」とか「昭和何年政令第何号」とかいう番号が附くのだが、それだけでは実用上不便だから、「何法」とか「何令」とか「何規則」とかいうような標題を設ける。これは一言にしてその法令の内容を表示すべき大切なもので、場合によってはなかなか附け方がむずかしいし、また沿革的に定まった標題もある。「刑法」「商法」「民事訴訟法」「刑事訴訟法」など、大ていは読んで字のごとしだが、「民法」となると、実は内容的でなくて、沿革的なのだ。すなわち、その法律の元祖なるローマの「市民法典」から出て、オランダ語でもドイツ語でも「民法」と言う、そのオランダ語から和訳されたのである。

法令の標題は、多少教育的見地からも考えられねばならぬ。かの「軽犯罪法」という標題が誤解を起させはしないだろうか、ということは前に言った。わたしがその起案に参画した法律の一つなる「児童虐待防止法」について、名前があまり露骨だから「児童保護法」とでもした方がよかろう、と当時主張されたものだ。しかしこの法律は、個々の被虐待児童を保護するだけが目的ではなく、国家は児童虐待を否認するぞということを宣言する教育目的を持っているのだから、標題にそれをうたわなくてはいけないのだ。いま一つの「母子保護法」についても、「救護法」の中に含ませてもよいのではないか、という議論があったが、これまた単なる救貧法ではなく、いわゆる「子ヲ擁スル母」を救護するという実質以外に、母親が自身でその子を育てるということを国家が特に重く視る趣旨の声明として、特別立法と特別名称との意味があったのだ。そしてこの二つの法律は昭和二十二年十二月十二日の「児童福祉法」に吸収されたが、この標題なども、なぜ「祉」という常用漢字に無い字を使ったか、「児童福利法」ではいけなかったのか、ということが問題になりうる。

重要な法律　法律・命令の数は何十何百かわからないと前に言ったが、われわれの生活に特別関係の深い法律を拾ってみよう（昭和三八年一月現在）。

根本の大法典が

日本国憲法　であることは、今さら申すまでもないが、明治二十二年二月十一日発布の「大日本帝国憲法」に代って、昭和二十一年十一月三日に公布され、二十二年五月三日から施行された。三権分立の民主憲法だが、その第一の立法権については、

国会法　が制定された。そして国会の両議院を成立させるための法律が

公職選挙法　であるが、この法律の前身である「衆議院議員選挙法」と「参議院議員選挙法」とによってはじめて婦人参政権が採用されて、完全な普通選挙制度になったのである。

三権の第二の司法権については、以前の「裁判所構成法」に代った

裁判所法　によって、司法権の独立がいっそう確保されたが、同時に裁判官にその人を得ることを期するため、

最高裁判所裁判官国民審査法　**裁判官弾劾法**　などが設けられた。

三権の第三なる行政権については、

内閣法　**国家行政組織法**　を土台にして、諸官庁の制度がだんだんと整備した。そして、官吏は「公僕」なりとの見地から、新たに

国家公務員法　が設けられた。憲法で保障された国民の請願権については、

請願法　が規定され、また行政処分に対する不服申立については、以前の「訴願法」に代った

行政不服審査法　があり、さらに　**行政事件訴訟法**　が設けられた。国家財政に関しては、

財政法　**会計法**　**会計検査院法**　があり、国家収入の大項目たる租税については、**国税通則法**　**国税徴収法**　のほか、**所得税法**　**法人税法**　**相続税法**　**物品税法**　など、各種の税法がある。

教育と学問については、**教育基本法**　**学校教育法**　**私立学校法**　**社会教育法**　**地方教育行政の組織及び運営に関する法律**　**教育公務員特例法**　**日本学術会議法**　などがある。

なお、終戦後の変革の一つは警察制度だが、それについては、**警察法**　**行政代執行法**　**警察官職務執行法**　と　**消防法**　**消防組織法**　などがある。その他　**災害対策基本法**　**水防法**　がある。また、わが国の防衛のために　**防衛庁設置法**　**国防会議の構成等に関する法律**　**自衛隊法**　がつくられている。

さて、憲法について重要な国法の**民法**　については、既に一言した。すなわち、明治三十一年以来行われていた五編の民法典の第四編・第五編が、新憲法に即応して全面的に書き直されたのである。なお今までも「法典」という言葉を使ってきたが、これは公用語ではなく、編・章・節・款・項などとシステムを立てた大法律を「法典」と言い、条数の多くない小法律を「単行法」というならわしになっているのだ。民法関係の中小法律としては、

戸籍法　**不動産登記法**　**利息制限法**　**借地法**　**借家法**　**建物の区分所有等に関する法律**　さらに　**遺失物法**　**国家賠償法**　**自動車損害賠償保障法**　など、いろいろある。

また商売取引の法典としては、

商法　がある。これは明治三十二年にでき、同四十四年・昭和十三年と両回の大改正を経たものを、戦後の経済状態に応ずるよう、さらに昭和二十三年・同二十五年・同三十七年に大改正を行ったものが現行法である。なお商法から分派したものとしては、

有限会社法　**国際海上物品運送法**　**手形法**　**小切手法**　があり、また特殊の商事経営については、

銀行法　**相互銀行法**　**証券取引法**　**信託法**　**信託業法**　**保険業法**　**倉庫業法**　などがある。

土地・建物関係については、

土地収用法　**公共用地の取得に関する特別措置法**　**土地改良法**　**都市計画法**　**土地区画整理法**　**住宅地区改良法**　**首都圏整備法**　**建築基準法**　があり、さらに公有または公用の土地については、

国有財産法　**道路法**　**高速自動車国道法**　**河川法**　**海岸法**　**公有水面埋立法**　など、また水関係については、右にあげた「河川法」のほか　**特定多目的ダム法**　**水資源開発促進法**　**水道法**　**下水道法**　**工業用水法**　**公共用水域の水質の保全に関する法律**　**工場排水等の規制に関する法律**　などにそれぞれ規定がある。

その他、財産関係の法律もいろいろあるが、いわゆる無体財産すなわち智能的財産は、

著作権法　**特許法**　**実用新案法**　**意匠法**　**商標法**　などによって保護される。

通信・交通・航海等に関して、

郵便法　**公衆電気通信法**　**電波法**　**放送法**　**日本国有鉄道法**　**鉄道営業法**　**地方鉄道法**　**道路運送法**　**道路交通法**　**海上運送法**　**船舶法**　**船舶安全法**　**船員法**　**港湾法**　**海難審判法**　**航空法**　がある。

産業法規としては、まず経済の民主化の柱である**私的独占の禁止及び公正取引の確保に関する法律（いわゆる独占禁止法）**のほか**不正競争防止法**　**不当景品類及び不当表示防止法**など、

さらに商工業については、**商品取引所法**　**百貨店法**　**工業標準化法**　**航空機製造事業法**　**建設業法**　**宅地建物取引業法**など、

農林・水産については、**農業基本法**　**農地法**　**農産物価格安定法**　**漁業法**　**水産資源保護法**　**森林法**　**牧野法**など、

鉱業・エネルギーについては、**鉱業法**　**石炭鉱業合理化臨時措置法**　**採石法**　**電気に関する臨時措置に関する法律**　**公益事業令**　**電源開発促進法**　**ガス事業法**　**石油業法**　**原子力基本法**　**熱管理法**など、

貿易・為替については、**外国為替及び外国貿易管理法**　**輸出入取引法**　**輸出検査法**　**外資に関する法律**などがある。

また産業団体については、**商工会議所法**　**商工会の組織等に関する法律**　**商店街振興組合法**　**農業協同組合法**　**水産業協同組合法**　**中小企業等協同組合法**　**中小企業団体の組織に関する法律**　**消費生活協同組合法**などがかぞえられる。

さらに、労働問題については、**労働基準法**　**最低賃金法**　**労働者災害補償保険法**　**労働組合法**　**労働関係調整法**　**公共企業体等労働関係法**

地方公営企業労働関係法　**電気事業及び石炭鉱業における争議行為の方法の規制に関する法律（いわゆるスト規制法）**　**失業保険法**　などが、だんだんと整備された。

保健衛生関係については、**医師法**　**医療法**　**薬事法**　**薬剤師法**　**予防接種法**　**伝染病予防法**　**結核予防法**　**性病予防法**　**麻薬取締法**　**食品衛生法**　**毒物及び劇物取締法**　**優生保護法**　**保健所法**　**清掃法**　**健康保険法**　**国民健康保険法**　などができている。

社会立法としては、**社会福祉事業法**　を中心に　**生活保護法**　**災害救助法**　**児童福祉法**　**身体障害者福祉法**　**民生委員法**　**職業安定法**　**国民年金法**　**厚生年金保険法**　などが作られた。

自治制については、従来「市制」「町村制」「府県制」などがあったが、それらが戦後に全部統合改正されて、**地方自治法**　になり、さらに　**新市町村建設促進法**　**新産業都市建設促進法**　などがあり、地方公務員については、**地方公務員法**　があり、また地方財政については、**地方財政法**　**地方税法**　**地方交付税法**　などがある。

一転して刑事法を見渡すと、まず、**刑法**　だが、明治十三年に西洋流の刑法が採用され、それが明治四十年に全部的に改正されたのが現行法だが、新憲法に即応して昭和二十二年に二、三の改正が行われ、また経済事情の変動に伴い昭和二十四年二月一日から罰金および科料の額を大幅に引き上げた**罰金等臨時措置法**がある。「警察犯処罰令」に代って、昭和二十三年にできた**軽犯罪法**については、前に述べた。刑法の特別法としてよく問題になるのは、**爆発物取締罰則**　**火薬類取締法**　**銃砲刀剣類等所持取締法**　**暴力行為等処罰ニ関スル法律**　**盗犯等ノ防止及処分ニ関スル法律**　**売春防止法**　**破壊活動防止法**　などであり、その他**食糧管理法**　**物価統制令**　といった経済統制法規類にそれぞれ罰則が附いている。

次には手続法だが、まず第一に、**民事訴訟法**　がある。民事裁判所における訴訟手続の規定で、明治二十三年に制定された六編の大法典だが、第五編までは大正十五年に全面的に改正された。また人事事件、家庭事件については、**人事訴訟手続法**　**家事審判法**　などがある。なお民事訴訟法の第六編は強制執行の規定だが、さらに権利実現の方法に関し、**競売法**　**破産法**　**和議法**　**会社更生法**　などがある。なお調停制度に関する一連の法律があるが、これは「第五話」にゆずろう。民事に関する各種調停の手続を規定した**民事調停法**　も重要な働きをしている。

刑事裁判所の訴訟手続規定は、**刑事訴訟法**　で、明治十三年の「治罪法」を先駆として、明治二十三年に制定され、大正十一年に全部的に改正されたものが行われていたが、新憲法の基本的人権尊重の趣旨を体して昭和二十三年に新刑事訴訟法が制定され、同年さらに**人身保護法**もできて、前者は昭和二十四年一月一日、後者は二十三年九月二十八日から施行された。同じく二十四年一月一日施行の**少年法**は、大正十一年の法律が全面的に改正されたものだが、これについてもまた語るおりがあろう。交通違反事件については、最近**交通事件即決裁判手続法**がつくられた。そのほか刑事訴訟関係の法律としては、**刑事補償法**　**監獄法**　**恩赦法**　**更生緊急保護法**　**犯罪者予防更生法**　**執行猶予者保護観察法**などがある。さらに昭和二十四年九月一日から施行された**弁護士法**があるが、これは、明治二十六年の旧法を昭和八年に改正したものを、昭和二十四年に新たに作り直したのである。

さて現行法令はもちろんまだ沢山あるが、ならべ立てると際限がないゆえ、まずこのくらいにしておこう。次段に名の出るものもある。列挙の趣旨は必ずしも網羅的たらんとするのではない。いわゆる「六法」のみが法律でない、ということを印象づけたいのである。

立法目的の表示　ところで、これらの法令を見渡して一つ気の附くことは、昭和十三年度来の法令の第一条に立法目的を明示するものがだんだんふえてきて、今日ではむしろそれが恒例になっていることだ。これは新法令の傾向としておもしろいことで、それによって近ごろの法律がどういうことがらを取扱っているかがわかるゆえ、最近の実例のおもなものを拾ってみよう。

人身保護法第一条　この法律は、基本的人権を保障する日本国憲法の精神に従い、国民をして、現に、不当に奪われている人身の自由を、司法裁判により、迅速、且つ、容易に回復せしめることを目的とする。

政治資金規正法第一条　この法律は、政党、協会その他の団体等の政治活動の公明を図り、選挙の公正を確保し、以て民主政治の健全な発達に寄与することを目的とする。

国家行政組織法第一条　この法律は、内閣の統轄の下における行政機関の組織の基準を定め、もって国の行政事務の能率的な遂行のために必要な国家行政組織を整えることを目的とする。

地方自治法第一条　この法律は、地方自治の本旨に基いて、地方公共団体の区分並びに地方公共団体の組織及び運営に関する事項の大綱を定め、併せて国と地方公共団体との間の基本的関係を確立することにより、地方公共団体における民主的にして能率的な行政の確保を図るとともに、地方公共団体の健全な発達を保障することを目的とする。

消防法第一条　この法律は、火災を予防し、警戒し及び鎮圧し、国民の生命、身体及び財産を火災から保護するとともに、火災又は地震等の災害に因る被害を軽減し、もって安寧秩序を保持し、社会公共の福祉の増進に資することを目的とする。

道路交通法第一条　この法律は、道路における危険を防止し、その他交通の安全と円滑を図ることを目的とする。

食品衛生法第一条　この法律は、飲食に起因する衛生上の危害の発生を防止し、公衆衛生の向上及び増進に寄与することを目的とする。

家事審判法第一条　この法律は、個人の尊厳と両性の本質的平等を基本として、家庭の平和と健全な親族共同生活の維持を図ることを目的とする。

行政不服審査法第一条第一項　この法律は、行政庁の違法又は不当な処分その他公権力の行使に当たる行為に関し、国民に対して広く行政庁に対する不服申立てのみちを開くことによって、簡易迅速な手続による国民の権利利益の救済を図るとともに、行政の適正な運営を確保することを目的とする。

酒に酔って公衆に迷惑をかける行為の防止等に関する法律第一条　この法律は、酒に酔っている者（アルコールの影響により正常な行為ができないおそれのある状態にある者をいう。以下「酩酊《めいてい》者」という。）の行為を規制し、又は救護を要する酩酊《めいてい》者を保護する等の措置を講ずることによって、過度の飲酒が個人的及び社会的に及ぼす害悪を防止し、もって公共の福祉に寄与することを目的とする。

少年法第一条　この法律は、少年の健全な育成を期し、非行のある少年に対して性格の矯正及び環境の調整に関する保護処分を行うとともに、少年及び少年の福祉を害する成人の刑事事件について特別の措置を講ずることを目的とする。

労働組合法第一条第一項　この法律は、労働者が使用者との交渉において対等の立場に立つことを促進することにより労働者の地位を向上させること、労働者がその労働条件について交渉するために自ら代表者を選出することその他の団体行動を行うために自主的に労働組合を組織し、団結することを擁護すること並びに使用者と労働者との関係を規制する労働協約を締結するための団体交渉をすること及びその手続を助成することを目的とする。

労働関係調整法第一条　この法律は、労働組合法と相俟って、労働関係の公正な調整を図り、労働争議を予防し、又は解決して、産業の平和を維持し、もって経済の興隆に寄与することを目的とする。

生活保護法第一条　この法律は、日本国憲法第二十五条に規定する理念に基き、国が生活に困窮するすべての国民に対し、その困窮の程度に応じ、必要な保護を行い、その最低限度の生活を保障するとともに、その自立を助長することを目的とする。

災害救助法第一条　この法律は、災害に際して、国が地方公共団体、日本赤十字社その他の団体及び国民の協力の下に、応急的に、必要な救助を行い、災害にかかった者の保護と社会の秩序の保全を図ることを目的とする。

農業協同組合法第一条　この法律は、農民の協同組織の発達を促進し、以て農業生産力の増進と農民の経済的社会的地位の向上を図り、併せて国民経済の発展を期することを目的とする。

私的独占の禁止及び公正取引の確保に関する法律第一条　この法律は、私的独占、不当な取引制限及び不公正な取引方法を禁止し、事業支配力の過度の集中を防止して、結合、協定等の方法による生産、販売、価格、技術等の不当な制限その他一切の事業活動の不当な拘束を排除することにより、公正且つ自由な競争を促進し、事業者の創意を発揮させ、事業活動を盛んにし、雇傭及び国民実所得の水準を高め、以て、一般消費者の利益を確保するとともに、国民経済の民主的で健全な発達を促進することを目的とする。

証券取引法第一条　この法律は、国民経済の適切な運営及び投資者の保護に資するため、有価証券の発行及び売買その他の取引を公正ならしめ、且つ、有価証券の流通を円滑ならしめることを目的とする。

農地法第一条　この法律は、農地はその耕作者みずからが所有することを最も適当であると認めて、耕作者の農地の取得を促進し、その権利を保護し、その他土地の農業上の利用関係を調整し、もって耕作者の地位の安定と農業生産力の増進とを図ることを目的とする。

統計法第一条　この法律は、統計の真実性を確保し、統計調査の重複を除き、統計の体系を整備し、及び統計制度の改善発達を図ることを目的とする。

最近の法律がいかに以前のものと趣きを異にしてきたかがわかろう。以前には、こんな説明文は法文ではない、とされたものだが、すなわち法文は規範でなくてはならないというのだが、それは法文を一ヵ条一ヵ条として見ての話で、法令全体として見ると、これら第一条の目的規定が、法令の規範力の土台となり、法文解釈の目標を示す大きな効果があるのである。

定義規定　法文中にその用語の定義をくだすことがある。たとえば、民法には『本法ニ於テ物トハ有体物ヲ謂フ』（八五条）とあり、鉱業法が『この法律において「鉱業」とは、鉱物の試掘、採掘及びこれに附属する選鉱、製錬その他の事業をいう』（四条）と定義している。そして鉱業法は、『この条以下において「鉱物」とは』として、何鉱何鉱と列挙している（三条）が、『前項の鉱物の廃鉱又は鉱さいであって、土地と附合しているものは、鉱物とみなす』（同条二項）と、必ずしも鉱物学的でない説明をしている。以前の法律家は、法令に定義を入れることを、教科書的だとしてなるべく避

けようとし、たとえば民法（五五五条）は、実は売買の定義にほかならぬのを、

『売買ハ当事者ノ一方カ或財産権ヲ相手方ニ移転スルコトヲ約シ相手方カ之ニ其代金ヲ払フコトヲ約スルニ因リテ其効力ヲ生ス』

というふうに、定義でない形に規定した。しかし、それほどまでに定義をきらうにも及ばぬことで、一ヵ条一ヵ条を規範と見ずに、法令全体を規範と考えれば、法令の中にその規範の意味を明かにするための定義規定があったって、少しもさしつかえないはずだ。そして近来の法令には、定義的規定が珍しからぬことになったのであって、「児童福祉法」のごときは、「定義」と題する一節を設けて、

第四条　この法律で、児童とは、満十八歳に満たない者をいい、児童を左のように分ける。

一　乳児　満一歳に満たない者

二　幼児　満一歳から、小学校就学の始期に達するまでの者

三　少年　小学校就学の始期から、満十八歳に達するまでの者

第五条　この法律で、妊産婦とは、妊娠中又は出産後一年以内の女子をいう。

第六条　この法律で、保護者とは、親権を行う者、後見人その他の者で、児童を現に監護する者をいう。

第七条　この法律で、児童福祉施設とは、助産施設、乳児院、母子寮、保育所、児童厚生施設、養護施設、精神薄弱児施設、精神薄弱児通園施設、盲ろうあ児施設、虚弱児施設、し体不自由児施設、情緒障害児短期治療施設及び教護院とする。

と規定している。ところが、同じ「少年」というのを、「少年法」（二条）では『二十歳に満たない者』

と定義している次第だ。

法律の解釈　かように定義規定もだんだんとふえてきたが、法文がいかに詳細に定義的・説明的に規定されても、法文解釈の必要は減じない。すなわち、法律に従って行動するにも、法律をあてはめて問題を解決するにも、まずもって、この規定はどういう意味か、ということを確定しなければならない。それが法律の解釈である。そして、法律はいわば死物だが、それが解釈によって活きて働くのである。ナポレオンは、その民法典起草については非常に熱心で、専門家の委員会にまかせきりでなしに、戦陣のひまを盗んでは自身出席して会議をリードしたということだ。従って、法典が出来上ると大得意で、一言も加除すべきところなしと自信満々だったところ、発布後たちまち註釈書が出現していろいろ論議するのに憤慨して、『わが法典はうしなわれたり。』と言ったとのことだが、いずくんぞ知らん、ナポレオン法典が百五十年後の今日に至ってうしなわれないのは、学者や裁判所の相次いでの解釈によって古嚢に新酒が盛られてきたからである。

法律の解釈はまずもって法文の文字について行われるのであって、すなわち「文字解釈」である。元来成文法の成文法たるゆえんは文字にあるのだから、文字の解釈が重要なことは言うまでもないが、言語が必ずしも完全無欠なものではないゆえ、なかなかもって「読んで字のごとし」というわけにのみはゆかず、単純な文字解釈だけでは法文の真意義をつかまええないのみならず、いわゆる「しゃくしじょうぎ」に文字にこだわると、飛んだ誤解を起しうる。江戸の小話に、

『これ歩助《ぶすけ》、この手紙を入福富右衛門様へ持っていけ、ハイどこでござります。なんでも此通りをまっすぐにいってな、辻番へつきあたって聞いて行け。かしこまりましたと手紙を受取り、まっすぐにいって辻番のえんがわへおもいれつき当れば、辻番おやじ腹を立て、エイ昼ひなか目が見えぬかどうしたものだ。ハイ私はどっちへ行くのでござります。』

というのがある。「つきあたる」という文字にとらわれるものだから、文字通りの衝突をして行きつまり、私はどっちへ行くのでござります、というようなことになるのだ。さらにまた、文字をたてに取って法律を曲解することも起りうる。わたしの中学時代のことだったが、校舎の玄関に『靴草履ノ外昇ルベカラズ』と書いた木札がかかっていた。すると茶目な一生徒(現在は有名な言語学者)が、その制札の下に漫画をかいてはりつけた。それは靴と草履とが制服制帽で大いばかりで登校するのを人間の生徒が指をくわえて見ている図で、それがまたすこぶるよくかけていて、先生たちを苦笑させた。なるほど文字だけ読むと、そういうことにもなりそうだ。

要するに、法律の解釈には、文字だけを見たのではいけない。その箇条だけを読んだのでは足りない。その箇条と他の箇条との関係、その箇条のこれを含む法令中における位置、その法令と他の法令との関係、その法令の国法全体における位置、立法の目的、社会生活上の必要等、諸方面から観察し、あらゆる論理的方法を用いて思索することによって、はじめて法文の真意義を確定しうる。これがいわゆる「論理解釈」である。きわめて卑近な例だが、『車馬通行止』の制札が立っている。その文字の正面から出てくる意味は、車と馬との通行を禁止する、ということである。しかしその裏面には、徒歩なら通ってよろしい、ということが含まれている。それが「反対解釈」だ。もっとも、反対解釈はよほど用心しないといけない。以前には神社の境内に『皇族下乗』の立札があったものだが、それを見て、それではわれわれ常人は乗打ちしてもいいのか、という皮肉を言った人がある。『車馬通行止』の道路へ象やラクダを引っぱり込んだらどうだろう。馬でさえいけないのだから、象やラクダはもちろんだろう。それを「勿論解釋」という。象やラクダが日本の往来を通ることはありえないから、立法者もそこまでは考えなかったのだろうが、牛のことは当初から考えにはいっていたはずだ。それゆえここに「馬」とあるのは、「牛馬」の意味にひろげて解すべきだ。それが「拡張解釈」である。さらにまた「車」とあるが、禁止の目的上乳母車ならさしつかえない意味かも知れない。その場合にはいわゆる「縮小解釈」をする。これらはいずれも論理解釈の一方法にほかならぬのであって、それぞれ適当な程度で用うべきである。要するに、文字解釈・論理解釈両種の解釈があるわけではなく、合理的に文字を読むのが法律の解釈なのである。

類推と準用

ところで前記の「車馬通行止」は、当然牛を含む意味に規定されているのだから、「馬とは牛馬の意味」という拡張解釈で片づくが、牛についてのみ規定があって馬については規定がない場合に、牛の規定を馬に適用することがありうる。それを「類推」という。法令はしばしば「準用」という言葉を使って、類推をなすべき旨を明示する。たとえば、民法第三六一条が不動産質に抵当の規定を準用し、人事訴訟手続法第二六条が婚姻事件の規定を養子縁組事件に準用するの類である。また準用という言葉は使わずとも、民法第五五四条『贈与者ノ死亡ニ因リテ効力ヲ生スヘキ贈与ハ遺贈ニ関スル規定ニ従フ』なども同様である。準用は立法の便宜上規定の重複繁雑を避ける方法であって、実質上は各場合が一々詳細に規定されているのと異らぬ。ただ準用が適用とちがうのは、引用された規定をそのまま当てはめるのでなく、事がらの性質に応じた適用をせねばならぬことである。たとえば、牛の法律を馬に準用するには角に関する規定は除いて適用する、といったようなわけだ。そして準用は便利な立法技術であるだけに、法律を作るものは準用規定の濫用をせぬよう、すなわち、めんどうくさいから準用にしておくというようなことのないよう、特に注意すべきであり、また法律を学ぶ者は、準用の箇所をそのまま通過してしまわず、引用規定に一々当ってみて、どう適用されるかを研究せねばならぬ。

ところでここに問題になるのは、法令に準用規定のない場合に類推が許されるかである。まずこれを必要の上から言うならば、類推は許されねばならぬ。法律は社会生活の規定だが、現在および将来のあらゆる社会生活現象を網羅することは事実上不可能だから、もし類推が許されないとしたならば、法律の社会生活規範たる効用が大いに減殺されるのみならず、類似の事実に異った解決が行われて、不公平な結果を免れない。しからば類推はいかなる根拠によって是認されるか。そのことはまたのちに説こう。

立法者の意図　法律を解釈するに当って、立法者の意図、すなわちどういうつもりでその法律が作られたか、ということが有力な資料になる。前に例を挙げたように、近ごろの法律では、第一条に立法目的を明示することが流行だが、起草委員会の速記や法案理由書や国会の議事録なども解釈のための有力な資料になる。しかし、立法者の意図が法律そのものではなく、解釈の対象はあくまで法文自体であることは、特に留意せねばならぬ。それゆえ、法令の文字から合理的に解釈されてしかも社会の要求に適応する結論に対し、それは立法者の思い設けなかったところだ、というだけで反対するのはまちがっている。東京の九段上に「一口坂」という地名がある。これは元来「いもあらいざか」なのだが、電車の停留場になって以来、地方出の車掌が『次はヒトクチザカ』と呼ぶようになったので、今ではそれが本名のようになってしまい、「いもあらいざか」などと言ってもだれも知っていないことになってしまった。わたしは古名の由来を知っているつもりだが、今さら物知りぶってみても通用しそうもない。全体「一口」と書いて「イモアライ」と読ませるのが無理なのだから、「いもあらいざか」が「ヒトクチザカ」に変化したのはむしろ当然だろう。法令にもこういうことがあるのであって、解釈によって、それが当初は誤った解釈であっても、法令の内容が立法者の意図とはちがう方向に発展することもあるのである。

法律学の第一歩

これを要するに、成文法は多く抽象的・原則的に規定されるのであり、殊にわが国明治以来の法令は国民に耳新しい言葉と目慣れない文字で書いたものが多く、さらに終戦後の今日再びそれがくりかえされつつあるのだから、まずその文章の意味をハッキリさせなくてはそれを運用することができないのであって、法文が口語体になっても解釈が不用にならない。それゆえに法律学は法文の解釈から始まる。いわゆる「解釈法学」がそれであって、法律学の第一歩である。以前には法文の解釈をもって法律学者の能事終れりとしたものだが、それはまちがいであった。しかしまた、近来のようにややもすると法文の解釈をバカにするのもよろしくない。ともかくもそこに法令の正文が存在することは眼前の事実なのだから、その現実を無視することはできない。かの清水市郊外竜華寺の高山樗牛の墓石に『吾人は須く現代を超越せざるべからず』ときざんである。おもしろい文句だが、現代を超越するにはまずもって現代に活きて現代を知り尽さねばならぬ。ドイツの大法律家イェリングは『ローマ法を通してローマ法の上に』と言ったが、「通して」と言ったところに味がある。ローマ法の埓内にせぐくまっていてはいけないが、ローマ法を飛び越してしまってはだめだ。法律学は法文の解釈で終るべきでないが、法文の解釈から始まらねばならぬ。要するに現行成文法のテキストが法律学の出発点である。そのスタートを十分に踏み切らなくてはいけない。眼は遙かにゴールを望みつつ、一歩々々をトラックの白線内にシッカリと踏まねばならぬ。すなわち、法文の鳥居数をくぐってはじめて法理の奥の院に参詣できるのだ。

そこでわれわれ法律家にとってまずもって大切なのは、例の「六法全書」すなわち現行重要法規集である。詩人ハイネはローマ帝ユスティニアヌスの法典を「悪魔の聖書」と罵ったとか。「悪魔の」だか「天使の」だかは、その法律の内容によりまたその運用によってきまることで、わたしは現代の法律が悪魔的だとはもちろん思わず、どうかますます天使的たらしめたいものと祈っているが、それはともかく、六法全書を一つ「法律家のバイブル」と呼ばせてもらいたい。甚だ大仰なようでもあり、また両者が同一だと言うのでもないが、キリスト教徒にとってのバイブルと、法律家にとっての六法全書とは、すこぶる似通った所があるからである。キリスト教にはいろうとする人が、まず何の本を買いましょうか、とたずねるならば、諸君は必ず、聖書をと答えるだろう。はじめて法律を学ぼうとする人に対しては、何を措いてもまず最新版の六法全書を買いなさい、と言いたい。もちろんただ買っただけではだめで、バイブルを常に座右に置きまた小型聖書をポケットに入れていなくてはクリスチャンらしからざると同じく、また英語に熱心な人がいつでもポケット・ディクショナリーを懐中しているごとくに、六法全書を机上に備えまた携帯していなくては法律家らしくない、と言ってよかろう。さらにまた、聖書や辞書や六法全書が単に机上・懐中の飾り物では何にもならぬことは言うまでもない。こういう話がある。地方の母親が突然上京して、大学在学のむすこの下宿をたずねた。ちょうど不在だったのでその部屋にはいってみて、きものはぬぎ放しふとんは万年床なのにあきれかえり、ほんとにしょうのないジダラク者だよ、と口小言を言いながら本箱をあけてみて、それでも感心に本だけは折り目も附いていない、と言ったとか。聖書や辞書や六法全書が手ずれていたからとて必ずしも、熱心な信者だ、英語に堪能だ、一かどの法律家だ、とは言えまい。しかし聖書・辞書・六法全書に折り目も附いていないようでは、テンデお話にならない。法律学は六法全書に折り目を附けるところから始まる。

六法全書を聖書と辞書とにたとえたが、実は六法全書は聖書と辞書との中間に在るといってよかろう。聖書は、創世記第一章『元始《はじめ》に神天地を創造《つくり》たまえり』というところ、または馬太伝《マタイ》第一章『アブラハムの裔《こ》なるダビデの裔イエスキリストの系図』というところから始めて、通読復誦すべき性質のものである。これに反して、辞書は通読すべきものではない。辞書を片端から暗記するという勉強家の話もあるが、賢明な方法とも思われぬ。辞書は必要に応じて「引く」べきものである。ところが六法全書は読んだり引いたりすべきものだ。六法全書はある程度まで通読すべき性質のものである。もちろんクリスチャンが聖書を読むようにこればかりを反覆復誦すべきものではないが、憲法のような根本法は通読すべきものと言ってもよかろう。殊に新しい「日本国憲法」はわれわれ国民の総意に基づいて書かれた誓約であり権利宣言である、ということになっているのだから、前文から始めておりおり全典を通読し、「人類普遍の原理」を感得すべきであろう。また民法を学ぶには、その一章一節ずつをあらかじめ読んでおいてから講義を聴きまた書物を読むと、理解も興味も一段と思う。次に六法全書は辞書のような作用もするのであって、それがまたすこぶる大切である。私が中学時代に英語の先生に言われたことだが、またどの英語の先生も言うだろうが、辞書を引くことをめんどうくさがっては英語は上達しない。法律についても同じことで、マメに六法全書を繰らなくてはよい法律家になれない。法律書を読むには必ず六法全書を併せ開いて、引用されてある「何法第何条」を一々当ってみるべきである。この書物はその通俗的性質上、前に出した立法目的条項などのほかは、本文中にあまり法令の本文を出さず、またむしろなるべく「第何条第何項」を引かないようにしたが、専門的な著書・論文や講義では、条文の番号を一々書いたり言ったりしなくては本式でない。その場合には、なるべく法令の本文をそのまま書いたり言ったりせず、条文番号の書き放し・言い放しの方がよい。それは、冗長を避けると同時に、読者または聴講者にできるだけ勉強の余地を残すためである。すなわち、読者または聴講者の条文参照を俟って、著書または講義がはじめて完全なものになるのだから、そのまま読み放し・聴き流しにされては、大きに著者または講師の目算がはずれる。殊に実際問題を解決するには、一々法文に当ってみることを忘れてはいけない。それでないと、とんでもないシクジリをしでかすことがありうる。こういう昔話がある。殿様が勘定方を採用しようとして、甲乙二人の候補者について試験をしてみた。まず甲を呼び出して、一に二たすといくつになるか、とたずねた。甲は言下に、三になりますと答えた。次に乙を呼び出して同じ問をかけた。すると乙は、おそれながらソロバンを拝借仕りますと、パチパチと置いてみて、三になりまする、と申し上げた。読者諸君、甲乙いずれが採用されたと思いますか。

立法学と立法心理学

さて現在の法律の主流が成文法である以上、法文の用語・文章を分析綜合してその意味を確定する「法律解釈学」が法律学そのもののように思われてきたのも無理からぬことであり、またこれが法律の運用上大きな働きをしているのは争えない事実だが、既に出来上った法令の解説だけでなく、もう一つ出発点にさかのぼって、どういう場合に法律を作るべきか、法律を作るにはいかにするか、という立法技術を学問的に研究する「立法学」とでもいうべきものが、もっと発達してもよかったと思う。父の穂積陳重が明治二十年代に「法典論」という小著を書いた。これが正にそこをねらったものなのだ。そしてわたしは大正三年—四年の英国留学中、コートネー・イルバートの「メキャニックス・オヴ・ローメーキング」(「法律作成技術」)という書物を読んだ。イルバートは英国議会の書記官長として令名の高かった学者なので、余人のくわだて及びえない名著であり、「法典論」と思い合せて感興が深かった。そこで自分も一つ立法学を勉強して父業を継ぎたいと思い立たないではなかったが、不肖にしてついまだ果さずにいる。

ところで、立法学の一部門として是非手を着けねばならぬのは「立法心理学」だ。「犯罪心理学」は相当発達しているが、立法が人心にどういうふうに響くか、という心理学的研究はまだまだのようだ。しかしこいつが出来ていないと、物資を出廻らせるつもりで作った統制令が物資を引っ込ませたり、もうよかろうと思って罰則を削ったとたんに入墨がはやり出したりするのだ。

何より先に考えなければならないことは、「法律は作るもの」とはいいながら、なんでもかでも法律に作れるものだろうか、むやみやたらと法律を作ってもよいものだろうか、ということだ。蕪村の句に『畑《はた》打ちや法三章の札《ふだ》の下《もと》』というのがある。これは蕪村の古典趣味の句で、漢の高祖咸陽に入って秦の苛法を廃し父老と約するに法三章をもってしたという故事から着想し、殺すなかれ・傷くるなかれ・盗むなかれの三箇条を筆太に書いた高札の下で善政を謳歌しつつある泰平の逸民を吟じたのである。世間の複雑なる、人事の多端なる、法令が微に入り細をうがち、三十三間堂の仏の数ではないが、三万三千三百三十三章になってもやむをえないところだが、「法三章」の気持は願わくは永久に持ち続けたいものだ。

第三話　法律は在るもの

法律は有力にして無力　イギリスの国会法すなわちアクト・オヴ・パーラメントをもってしても男を女となし女を男となすというような自然そのものの変更はできない、ということは前に言った。わが国でも新憲法が「両性の本質的平等」を宣言したが、それは人間に男と女とがあるという本来自然の状態を認めた上で、その男女の人格的価値の平等を保障し、差別待遇をしないということを約束したにほかならず、人間に男女両性があることを否定するのではない。すなわち、法律といえども自然そのものを変更することはできないのである。法律は人生を規定するが、人生には法律の左右しえない根本のものが「在」り、法律は有力にして無力なることを知らねばならぬ。

人類普遍の原理　「日本国憲法」の前文に、

『そもそも国政は、国民の厳粛な信託によるものであって、その権威は国民に由来し、その権力は国民の代表者がこれを行使し、その福利は国民がこれを享受する。これは人類普遍の原理であり、この憲法は、かかる原理に基くものである。』

とある。すなわち、法律が「作」られるより前に「人類普遍の原理」が「在」り、それが法律の内容になるのである。法律の形体は「作」られるにしても、その内容は必ずしも「作」られたものではない。

憲法第三章は「国民の権利及び義務」と題する。これがいわゆる「人権宣言」で、憲法中国民生活に一番大切な部分と言ってよい。旧憲法にも「臣民権利義務」と題する章があって、これも権利宣言ではあったが、「信教ノ自由」以外は、「法律ノ範囲内ニ於テ」とか「法律ノ定ムル所」とかいう枠の中での自由権で、法律の改正によっては動かされうべく、結局「法律ニ依ルニ非スシテ」は、言い換えれば、命令によっては奪われない、というだけのことであった。ところが新憲法は、法律以前の「基本的人権」を承認し保障して、第一一条に

『国民は、すべての基本的人権の享有を妨げられない。この憲法が国民に保障する基本的人権は、侵すことのできない永久の権利として、現在及び将来の国民に与へられる。』

という大原則をかかげた。すなわち、法律によってはじめて与えられたものでないいわゆる「天賦人権」を認めたのであって、これが法律によって（おそらくは憲法によっても）剝奪されたり制限されたりすることのないわれわれの自由なのである。

自然法思想　法律は「作」られたものではなくて自然に「在」るものだ、という考え方にも、古代・中世・近代の三段がある。古代においては法律は往々神授すなわち神様からの授かり物と考えられた。ここに「自然」というのは「人為」に対する意味だから、神授法も人間にとっては自然存在であって、すなわち、法律は神意の発現にして人間の作ったものでない、という考え方である。

現在知られている世界最古（約四千年前？）の成文法は、前に一言したバビロン王ハンムラビの法典であり、それが石碑にきざまれていたのを、一九〇一年から一九〇二年にかけてフランス政府の探険隊がペルシャの古都スーザの廃址で掘り出したのだが、その石碑の表面上部に、ハンムラビ王が日の神シャマシュの前に立って礼拝している図が浮彫にしてあって、これは王が神からこの法典を授けられているところをあらわしたものだといわれる。また古代ユダヤの法律とみられる旧約聖書にいわゆる「律法《おきて》」が、エホバ神がシナイ山の上でモーゼに、「十誡」を指先で二枚の石の板に書いて与え、その他の細則は四十日かかって口授筆記させたもの、とされているのは周知の伝説であって、要するにわれわれの原始祖先が法律を神意に「在」るものと観念したであろうことが想像される。

この思想がローマ教会の興隆にともなって発展したのが、中世のキリスト教法律学であるが、万有はすべて神意によって支配されるものであり、そしてこの「神意」なるものは「随意」ではなく「定意」であって、これが万有を支配する「永久法」であり、この永久法の人類を支配する部分が「自然法」、その自然法を特殊の事実に適用せんがために人が作為した規則が「人定法」である、と説いた。かように法律を三種に分けたが、自然法は永久法の一部であり、人定法は自然法の適用だから、万法は結局永久法に帰着し、法律はその根本にさかのぼれば神意に「在」るのである。

ところでこの「自然法」という考え方は、他方既にギリシャ哲学・ローマ法学にもあらわれているが、その観念が中心になって一大法律学派を形成し、中世以後の法律観念・政治思想を支配したのが、いわゆる「自然法論」である。これは「人類の自然状態」を中心とする考え方であるが、そしてその

「自然状態」は神意または人意によって存するものではなく、人間性にもとづく自然の状態であって、それが人類本来の姿であるが、その人間性が人々の相互契約によって国家を形成するに至らしめる、というふうに考えることになってきた。そこで自然法論者はおおむね同時に「民約論者」なのである。そしてその民約思想がフランス革命とアメリカ独立の基礎観念になったのであり、そしてフランス思想がわが国明治初年の天賦人権思想となり、アメリカ思想が今日の民主日本を作り出したのである。この契約国家思想については、またのちに述べるが、ともかくも新憲法の「人類普遍の原理」は結局自然法観念だと言ってよかろう。

心の欲するところ

かくして、法律が「作」られるより前に人類普遍の原理が「在」り、それが法律の内容になるのだが、この原理そのものもまた法律であるとし、人定法たる国法の上に「自然法」があるのだ、とするのが「自然法論」である。あるいは「性法」とか「条理法」とか言う人もある。しかしそう何でもかでも法律にしたがらなくてもよさそうなものだ、これもやはり一種の法律万能思想ではないだろうか。人生の根本を支配する第一段の規範が法律なのではなく、その第一段規範たる宗教・道徳・礼儀・風俗・技術等にもとづき、それらの一部分を取り入れた第二段の規範が法律であることは、前に述べた通りであるが、その点を道徳と法律との関係について、いま一度説明しよう。

刑法に殺人罪・盗罪などの規定がある。しかしこの「殺すなかれ」「盗むなかれ」は、法律が作った規則ではないのであって、元来「在」る道徳規範に国家の力が加えられて法律規範になったのに過ぎない。そして道徳は法律になったからとて道徳でなくなるのではない。「殺すなかれ」「盗むなかれ」が刑法になっても、その道徳的価値は増しも減りもしない。われわれが殺さずまた盗まないのは、刑法第何条の死刑や懲役がこわいからではなく、人類代々の道徳的訓練の結果、殺そうの盗もうのという気持が起らなくなっているのであり、またそうなくては理想的でない。「論語」に孔子の内心的自叙伝とでもいうべき一節がある。

『ワレ十有五ニシテ学ニ志ス。三十ニシテ立ツ。四十ニシテ惑《マド》ワズ。五十ニシテ天命ヲ知ル。六十ニシテ耳順《シタガ》ウ。七十ニシテ心ノ欲スルコロニ従ッテ矩《ノリ》ヲ踰《コ》エズ。』

というのだが、現代口語で補訳すると、

『自分は十五歳の時から本式の学問をしたが、三十歳のころには自ら守る所が出来てシッカリと立てるようになった。四十歳になると、判断が明かになり、どんな問題が起っても迷わない所まで行った。五十歳に至り、自分に対する天の使命を知り得て、いわゆる安心立命の境地に到達した。六十歳にもなると、スッカリ円熟し、人の言葉がすなおに耳に入って心にさからわぬようになった。そして七十歳になってはじめて、したい放題のことをしても脱線しないようになったのである。』

ということになる。この『心ノ欲スルトコロニ従ッテ矩ヲ踰エズ』というのは、聖人孔子でも七十になってヤットそこまで到達したというむずかしいことで、われわれが「心ノ欲スルトコロニ従ッ」たらどんなことになるかと空恐しく、それゆえにこそ「矩」すなわち法律が必要なのだが、法律は「矩」そのものが目的ではなく、「矩」を越えない心を養うのが理想なのである。

これを要するに「殺すなかれ」「盗むなかれ」は、殺を勇とし盗を智とした原始野蛮の社会は知らず、文明社会においては人生の根本要求であるから、たとい刑法に規定がなくとも、人殺しと盗みが道徳上の悪であることには変りがないと同時に、かりに国会がどうまちがってか、個人が個人を殺してよい、個人が個人の財産を奪ってよい、という法律を議決したとしても、そういう「人類普遍の原理」に反する法律は法律としての効力がない、と考える。

対皇室罪の削除

さらにまた、今まで法律で犯罪として刑罰を科せられていた事がらにつき、その法律が廃止されることがある。その場合に、その事がらがもはや不道徳・反社会的でなくなったがゆえにそれを禁止した法令が廃止されたのであることがある。たとえば経済統制令の廃止である。この場合、以前禁止されていた取引行為を法令廃止後に行ったとしても、単に違法でないのみでなく不道徳でもなく、ただ、法令廃止前の行為を廃止後に処罰すべきかということが、相当議論のある法律問題として残るだけである。

しかしまた、禁止法・処罰法の廃止は必ずしもその対象たりし行為を道徳的たらしめるものではない、ということを知らねばならぬ。この点で注目されるのは、刑法における対皇室罪の削除と姦通罪の廃止である。

昭和二十二年十月の刑法一部改正により、第二編第一章「皇室ニ対スル罪」第七三条ないし第七六条が全部削除された。これは、被害者の「門地」によって加害者に差別待遇をすることは憲法第一四条「すべて国民は法の下に平等」の精神に反するがゆえの改正であって、天皇以下皇族に対する加害行為を不敬行為を不問に付するのではない。「人ヲ殺シタル者」「人ノ身体ヲ傷害シタル者」「人ノ名誉ヲ毀損シタル者」「公然人ヲ侮辱シタル者」として処罰すれば足る、とするのである。元来、対皇室罪を特に厳重にすることによって皇威を重からしめんとしたのがまちがいだったかも知れないが、不敬罪が廃止されたからといってすぐさま、偽悪的に皇室に対してぶしつけな言辞をもてあそぶなどは、むやみと「御」の字ずくめにして「ござり奉る」のと同様、軽薄千万なことである。国家の象徴たる人とその一家に対してふさわしい敬意を表することは、日本だけではない「人類普遍の原理」である。

姦通罪の廃止　昭和二十二年の刑法一部改正でそれよりいっそう問題になるのは、姦通罪の廃止である。すなわち、

『有夫ノ婦姦通シタルトキハ二年以下ノ懲役ニ処ス其相姦シタル者亦同シ』

という刑法第一八三条が削除され、姦通罪というものがなくなったのである。しかしこれは姦通を天下御免にしたものでないことは、申すまでもない。元来、これまでの民法・刑法の姦通についての規定が、甚だ片手落ちなものであった。すなわち民法では、「妻カ姦通ヲ為シタルトキ」夫は離婚の訴を起しうるのに、妻は「夫カ姦淫罪ニ因リテ刑ニ処セラレタルトキ」でなければ離婚を請求できなかった。すなわち、夫がほかの女と関係したというだけでは離婚原因にならず、相手の女が人妻であるか、あるいは婦人に暴行を働いたとか、いうに至ってはじめて問題になり、しかもその場合でも、その事

件が内済になり、いったん訴えられてもその訴が取り下げられれば、妻から離婚を請求することはできなかったのである。刑法の姦通罪は前記の通り妻とその相手の男について問題になるのであるが、それにはまた弊害があった。すなわちいわゆる「親告罪」ということで、前に引いた第一八三条の第二項に『前項ノ罪ハ本夫ノ告訴ヲ待テ之ヲ論ス』ということになっていたため、相手の男に地位や金があると、本夫は得たり賢しと、金を出さなければ訴えるぞとゆすりかけることになり、甚しきに至っては、夫婦なれあいで甘い男を引っかける、というようなことも行われた。この民・刑両法の姦通に関する規定については、以前からその改正が問題にされていたが、新憲法下にこの夫妻不平等が許さるべきでないことはもちろんの話で、民法の離婚原因は「配偶者に不貞な行為があったとき」と夫妻一本建に改正された。刑法の姦通罪については、夫の姦通をも同様に罰すべし、という案もあったが、もし夫を罰するとするならば、やはり妻からの親告罪にしないわけにはゆかず、親告罪にすれば不徹底であり弊害もありうるから、いっそのこと妻の姦通を罰しないことにして、片手落ちを救ったのである。それゆえ、姦通罪の廃止はけっして姦通の是認ではなく、ただこれを刑法からはずして道徳に還元したのである。そして、民法が夫の姦通をも離婚原因としたことと相俟って、むしろ貞操の夫妻平等を確認したもの、というべきである。この夫婦相互貞操義務は今日においては「人類普遍の原理」たるべきだが、その原理を法律化すべきか否か、どういう形で法律化すべきか、についてはおのずから限界があり、またそれが法律からはずされたからとて、必ずしも原理たるを失わぬのである。

「悪法」は法か

さて法律は「人類普遍の原理」の規範化だということになると、その結論は『悪法は法にあらず』ということになるのだが、これは普通に言われる『悪法トイエドモ法ナリ』の法律格言と正面衝突する。この格言は、いったん法律として成立した以上、もし悪法ならば憲法上の手続によって改廃せらるべきで、改廃されるまでは当然法律としての効力があり、それが法律として効力がある以上、その適用をまぬかれえない、というのであって、至極もっともなことである。各人が自分に都合のわるい法律を、これは悪法だから法律でない、と勝手に主張し、それに違反してその制裁にも服さぬ、ということになっては、その法律だけの問題でなく、全体の法律秩序の破壊であって、許さるべきことでない。しかし悪法なることは、そもそも観念として成立しえない。「法」ならば「悪」ならず、「悪」ならば「法」でないはずだ。結局は「悪法」とはどの程度のものを言うか、という問題だが、十目の見るところ十指のゆびさすところ「人類普遍の原理」に反する絶対的悪法であるならば、憲法の精神上最高裁判所がこれを否認するであろう。要するに、一般国民は自分本位の悪法呼ばわりを慎み、立法者としてはいやしくも悪法を作らざらんことを期すべきである。

孝行と法律

かくして、法律を作るにも、法律を行うにも、法律を守るにも、また法律を学ぶにも、法律を最上のものと考えず、法律の上にまた法律の中に何かが「在」ることを忘れてはいけない。その「何か」はすなわち「人類普遍の原理」であって、その代表的なものは道徳である。すなわち、法律の上に道徳が在り、法律の中に道徳が在る。しかし前にも述べた通り、法律の全部が道徳でないと同時に、道徳の全部が法律になるのではなく、むしろ道徳の真髄たる最高の部分は法律になりえない。法律を低く見るのではない、道徳をより高く見るのである。

たとえば親孝行は、「百行ノ基」で最高の道徳だが、さてこれを法律にしようということになると、狭い限界にぶつかる。一八〇四年のナポレオン法典は、西洋でもさすがに古風で、『子ハ年齢ノイカンニカカワラズ父母ヲ尊敬セザルベカラズ』と規定した。わたしのところに、漫画入りという珍しいフランス民法テキストがあるが、この条文の箇所には、父親がだいた赤子に小便をかけられて困っているところがかいてある。「年齢ノイカンニカカワラズ」親に対してさような不敬をすべからずと民法が規定している、という皮肉なのだ。なるほど「孝行スベシ」と法律に規定したところで、それゆえに子が親孝行になるものでもなく、そこまで法律に書いてしまっては、親孝行の神聖を害する。実はいやだけれども民法にあるのでやむをえぬから親孝行をしよう、というのでは困る。もし強いて法律に孝行を規定しようとするならば、刑法で父母に対する犯罪を厳罰に処し、民法で子が父母を扶養する義務を規定する、というくらいのところで、最大限度の親不孝を罰し最小限度の親孝行を命じようというのだが、これらとても問題である。

刑法第二〇〇条に『自己又ハ配偶者ノ直系尊属ヲ殺シタル者ハ死刑又ハ無期懲役ニ処ス』とある。なお傷害罪・遺棄罪および逮捕監禁罪においても、直系尊属に対して犯された場合の刑罰が重くなっている。立法者の気持はよくわかるが、しかしこれらも、前に述べた対皇室犯罪の削除と調子を合せて、全部削除してもよかったのではないだろうか。親殺しにしても、普通殺人の刑で死刑または無期まで行けるのだから、犯罪の重い場合にはその極刑に処しうるのであって、特別の箇条を設ける必要はない。他方、現在の親を殺すのはよくよくの事情でもあろうから、場合によっては普通殺人の懲役三年まで下げ、さらに執行猶予もできるようにしておく方がよい。「死刑又ハ無期懲役」と限ると、始末の附かないことが起りうる。徳川時代には、たとい殺意がなくても、かりそめにも親と名の附く者を殺したらば「はりつけ」、ということになっていた。ところが、継母が継子の姉娘をにくんで、夜な夜な鬼女の面をかぶってその寝所をおびやかした、すると実子の妹娘が姉思いで、姉と寝所を取りかえ、短刀を懐にして待ちかまえ、鬼女を退治するつもりで刺し殺したら母であった、大岡越前守がそれをさばき、それは鬼が母を食い殺してその姿にばけていたのだから、親殺しではなくて、親のかたきを打ったのだ、とこじつけて娘を救った、という物語がある。ともかくも人事は千差万別だから、刑罰にははばを持たせておかないと、実情にそわない。

さてまた親を扶養する子の義務は、民法で『直系血族及び兄弟姉妹は、互に扶養をする義務がある。』(八七七条)という中に引っくるめて規定されている。改正前の民法では、「扶養ヲ受クル権利ヲ有スル者数人アル場合ニ於テ扶養義務者ノ資力カ其全員ヲ扶養スルニ足ラサルトキハ、」先ず親に食わせ、余ったら子に食わせろ、まだ余ったら妻に食わせろ、というようなことを規定しており、孝行第一の看板をかけたが、改正法はそんな観念的なことはやめにした。そしてこの法律上の扶養は、結局住まわせ食べさせ着せるだけの話だから、この最小限度の孝行をさえしないようでは不孝の子に相違ないが、民法の扶養の義務を尽したからとて、芳名を二十四孝に列するわけにはゆかない。論語に

『子游孝ヲ問ウ。子ノタマワク、今ノ孝ハコレ能ク養ウト謂ウ。犬馬ニ至ルマデ皆能ク養ウ有リ。敬セズンバ何ヲ以テ別タンヤ。』

という一節がある。子游は恐らく父母にうまい物を食べさせあたたかい物を着せて、あっぱれ親孝行でござりましょうがな、と得意だったのであろう。孔子はそれが癪にさわられたか、平生の「温良恭倹譲」に似合わず、かなり強い言葉で、飼犬・飼馬についても「能ク養ウ」ということはありうる、ただ能く養うというだけでは、親を犬馬あつかいするものだ、親不孝も甚しい、敬をもって父母につかえるのでなくては、何をもって父母と犬馬とを別たんや、と叱られたのである。この「敬」すなわち形でおじぎするだけでなく心から敬愛するということは、道徳の領分であって、法律の触れえないところである。馬を水ぎわまでひいて行くことはできるが水を飲ませることはできない、と言うが、「敬愛」は水を飲む以上に心理的なことがらだから、「敬愛せよ」と法律で命じても意味をなさない。要するに、道徳の領分と法律の領分との上下関係と相関関係とを認識することが、学問上も実践上も大切なのである。

時効と夫婦間の契約

法律の上に道徳が在る、ということを十分に認識しないと、法律万能思想に陥り、また法律規定の真精神をも理解しえないことになる。よく『そんなことはもう時効にかかっている。』などと言うが、この時効というのは、ちょっと考えると甚だ不道徳なような制度だ。それに二種類ある。借りた金でも十年間催促されずにいると返金の債務が消滅する、貸した方から言えば債権が消滅するのが、「消滅時効」だ。一年・二年・三年の短い時効もある。なぜかように時の経過によって権利を消滅させるか、消滅時効制度の理由いかんというに、第一には、「権利ノ上ニ眠ル者」すなわち自分の権利を行うのに不熱心な権利者を特に保護する必要はない、というのだ。第二には、たとえば金貸が故意に返金を催促せずにおいて十何年分の利に利が重なったところで元利あわせて請求する、というようなことをさせないためである。第三には、十何年も前の貸金が裁判所の問題になっても、十分な証拠によって正確な判断をすることが困難で、たとえば債権者が再び古証文を手に入れて債務者が受取書を紛失しているのに乗じ二重取りをくわだてる、というようなことがあってはならぬからである。要するに、何ぶん古いことゝて裁判所も安心して裁判できないから、法律はさような請求を取り上げない、というだけの話だ。法律上の義務はそれで消滅するが、道徳上の義務まで消滅するのではない。たとい時効にかかっていても、覚えのある借金なら進んで返すのが道徳であって、返さなくても大いばりだというわけではあるまい。またたとえば、他人の土地を、わが土地だという意思で、だれからも争われずまた隠し立てもせずに、継続して占有していると、善意無過失に自分の所有だと思っていたのならば十年、悪意すなわち他人の土地と知りながらでも二十年たつと、そのまま自分の土地になってしまう、という「取得時効」の制度がある。これも随分変なことで、隣人が境界の垣根をいつの間にかこちらの地面にはみ出させていたのを気がつかずに十年・二十年捨てておいたためにその部分の土地を取られてしまう、というようなことが起りうる。これも民法は、ある人がそういう永い間争われずに所有者らしく続けてきたという現状に重きをおき、その争いが訴訟になっても、何分ぶん古いことゆえ十分な証拠がそろわぬ次第で、裁判所も安心して判断を下し兼ねる場合があり、むしろ永年持っていたということが所有者だという一応の証拠になるかも知れず、たといそうでないとの反証があがったにしても、今さら十年・二十年前のことを問題にして現状を顚覆するのは、かえって共同生活の秩序を害する、と見たのである。しかしこれまた法律上の話で、たとい自分の物と思って何十年占有していても、それが他人の物だと知ったら、これは申訳なかったと、本来の所有者にもどすのが道徳である。

また民法に、『夫婦間で契約をしたときは、その契約は、婚姻中、何時でも、夫婦の一方からこれを取り消すことができる。』（七五四条）という規定がある。最も誠実なるべき夫婦の間でうそをつきあってもいいというふうに聞えて、甚だけしからんことのようだが、けっしてそういう意味ではない。夫婦間の出来事は結局法律では割り切れない。帯を買ってやると約束しながら買ってくれぬとて、妻が夫を相手取って裁判所に帯一筋贈与予約履行請求の訴を起すようになっては、夫婦の間がらはメチャメチャであり、元来夫婦間の契約は法律を当てにしたものではないのだから、それを裁判所に持ち出してもらっては困る、「夫婦げんかは犬も喰わぬ、」いわんや裁判所をや、というだけの話であって、いわば夫婦間の約束を法律的契約以上の神聖なものにしたにほかならぬ。

結婚と父母の同意　ところで今言った民法の規定は前からあったものだが、昭和二十二年の民法改正では、それまでの民法にいろいろの変更を加えた。その一つとして、成年男女の結婚に父母の同意はいらないことにしたのが目立つ。すなわち旧法は、三十年未満の男または二十五年未満の女は戸籍を同じくする父母の同意がなければ結婚しえないものとしていたが、「婚姻は両性の合意のみによって成立」すると規定した新憲法の手前、成年者は父母の意思にかかわらず結婚しうることにしたのである。元来、父母の同意を婚姻の法律上の要件とすべきでないことは、新憲法の宣言を待つまでもなく、現代の婚姻の本質上むしろ当然なことである。かの舜が父母に告げずして娶ったのを問題としてきた東洋観念から、新法が自由結婚を認めたのに驚異の眼をみはる向きもあろうが、それは、法律と道徳との限界をわきまえず、親の慈愛と威厳とを法律で押売りしようとするものである。他方、わが世の春と心ときめかす若人たちも、法律の上に道徳がある、ということをあたまに入れてかからないと、民法改正の本当の意味を取りはずし、自由結婚が無責任結婚になりそうだ。婚姻道徳の重心も時代によってだんだん移り行くことであり、またその場合々々の複雑な事情によって変るのだから、父母の同意がなくては絶対に結婚できないと法律で型にはめてしまっては、事がらが人生の重大事たる婚姻だけに、甚だ無理なことになり、かえって個人をも家庭をも不幸にするかも知れない。元来法律というものは、数学でいえば最大公約数のようなもので、どんな場合をも割り切れる原則だけを規定すべきである。その最大公約数すなわち「人類普遍の原理」は、結婚については当人たちの意思の合致であるから、新憲法は「両性の合意のみ」を婚姻の基本とし、新民法もまたそれのみを婚姻の法律上の要件として、父母の同意の問題は道徳と人情とに譲ったのである。それゆえ、法律的には婚姻は父母の同意無しに成り立つけれども、父母の同意は道徳問題としてなお残る。孟子のいわゆる「舜ノ告ゲズシテ娶ルハナオ告グルガゴトキナリ」というような場合もありうると同時に、父母が同意し親類が賛成し友人が祝福する結婚が、新憲法と新民法の世界においても、最も理想的な結婚であろうことも考えられる。要するに、法律が成年者の結婚についての父母の同意の必要を規定しないことになったのは、今まで法律の領分にはいっていたその問題を法律の枠からはずして道徳の領分にもどしただけのことで、子が結婚について両親に相談したからとて、新憲法・新民法の違反ではないのである。

法律の家から道徳の家へ

さらにまた民法改正が法律からはずして道徳の領分に還元した大きなものに、家族制度がある。家族制度はいわゆる「我邦古来ノ淳風美俗」として旧民法親族編・相続編の中心規定だったのであるが、その家族制度の全面的廃止を新法は決行したのだ。条文からいうと、第四編第二章「戸主及ヒ家族」全章三十三ヵ条・第五編第一章「家督相続」全章二十八ヵ条、あわせて六十一ヵ条をスッパリ切り捨てたのだから、たしかに大英断・大革命である。この大英断・大革命に対しては、わが国の伝統をくつがえし道義・人情を破壊するものだ、という非難があるが、至極もっともな心配である。しかしここで特に注意しなければならないことは、新法は法律上の家を廃止するのであって実質上の家を廃止するものではない、ということである。旧法に規定された「家」なるものは、実質的な親族的共同生活そのものではなく、結局は戸籍簿という帳面の一頁に一緒に登録してあるということにほかならず、極言してよいならば、「紙の家」であった。一家の者が二群・三群に分れて経済的に連絡のない全然別々の生活をいとなんでいてもやはり一家であり、また実際一つの屋根の下で一つ鍋のものをたべていても二家・三家のことがある。分家するといっても、別居することではないのであって、戸籍を書き分けることにほかならぬ。旧法は家族制度の規定だったと言うけれども、その制度がこのように形式的では、形式はそのまま家族制度として残ろうとも、実質はもぬけのからに成り果てていたかも知れない。それゆえ家族制度の問題は、従来の形式的家族制度をいっそう法律的に形式化・制度化することではなくて、それを実質的家族生活に引き直すことでなくてはならなかった。家族制度が善いとか悪いとかいう議論は、過去の形式的家族制度についてであって、広い意味での実質的家族生活の必要は疑うべくもない。共同生活が人間の本姿である以上、夫婦・親子・兄弟・姉妹その他の親族の共同生活は、共同生活中の最も必然にして最も自然なものである。旧法の「家」は、「生活」でなくて「制度」だった、というところに問題があったのだ。その戸主の支配が新憲法の文面と精神に反するゆえ、その「戸主制度」を文字通りの「家族制度」すなわち実質的・自治的家族生活に切りかえようというのが、新法のねらいである。家族生活と個人生活とは両立しないように言われてきたが、真の共同生活は各個人の相互的承認・尊重にもとづくのであるから、共同生活の意味の家族生活と人格生活の意味の個人生活とは、同一事物の両面にほかならぬ。そしてどれだけの範囲の親族が親族的共同生活をいとなむかは、時代により、地方により、生業により、また経済事情によって異りうるのであるから、強いて昔ながらの大家族制度を維持することは不可能でもあり不必要でもあるが、また強いて夫婦とその親権下の子だけの小ファミリーに分解するにも当らない。要するに、大小いかんにかかわらず実際の親族的共同生活に着眼して、それを保全するにつとむべきである。しかしその大目的を徹底するには、法律の力はあまりにも小さい。どうしても道徳と人情と経済とに待たねばならぬ。そこで新法は、思い切って「法律の家」を全廃し、「道徳・人情・経済の家」の発達完成を期待することにしたのである。新法は旧法の家の規定六十一ヵ条を削除して、これに代りそれを補うべきたった一ヵ条を設けた。いわく『直系血族及び同居の親族は、互に扶け合わなければならない。』（民七三〇条） これは結局法律の道徳に対する信託であって、人倫の基本たる孝悌慈愛と、今日の経済生活の単位となってきた世帯の観念とに立脚し、家族制度の廃止によって家族生活を充実純化せんとする新民法の新精神を表示するものと言うべきである。も一つ言いかえれば、新法が家庭を破壊し親族を解体せんとくわだてるものでないことはもちろんの話で、その証拠には、民法改正と同時に施行された「家事審判法」も、「家庭の平和と健全な親族共同生活の維持を図ることを目的とする」ことになっている。要するにこの場合にも、「法律の上に道徳が在る」ことを前提にしなくては、民法改正の真意をつかみえない。

法律は最小限度の道徳

わたしは中学時代に三国志の邦訳本を愛読したもので、玄徳すなわち蜀の昭烈皇帝劉備が太子劉禅への遺訓を諸葛孔明に託するくだりなどは最も感激した場面であったが、その遺訓の一節『悪ハ小ナルヲ以テコレヲ為スコトナカレ、善ハ小ナルヲ以テ為サザルコトナカレ。』というのを肝に銘じ、それから思いついて、『善ハ足ルコトナシ、悪ハ足ラザルコトナシ。』という格言らしいものをこしらえてみた。それを道徳・法律の関係にあてはめてみると、法律の内容は必ずしも道徳的なものばかりではないから、法律の違反が時にはさほど重大視されないことがありうるけれども、既に国法として規定された以上、その違反はすなわち「悪」であって、たといそれが「小悪」であろうとも、「悪ハ足ラザルコトナシ、」法律の不遵守そのものが既に十分な「悪」なのである。反対に法律の遵守はそれ自身「善」であって、「小善」だからとてなおざりにしてはならぬが、「善ハ足ルコトナシ、」それだけではまだ十分な「善」でありえない。この意味で『法律は最小限度の道徳である。』と言いたい。すなわち、これだけは是非守らねばならぬが、それを守ることは必ずしもまだ最上至高の道徳ではないのである。

法律の継受　法律学者は「固有法」と「継受法」という分類をする。固有法というのは、その社会の社会生活の結果として発生発達した規範を内容とする法律であり、継受法というのは、他の社会において発生発達した法律が移ってその社会の法律になったものである。外国法の継受には、慣習法的継受と立法的継受とがある。慣習法的継受とは、甲国の法律が乙国にはいって慣習法として行われることを言うのだが、その最も顕著な実例は、ローマ法がドイツにはいって十三・十四世紀このかたいわゆる「普通法」なる慣習法として行われたことである。また立法的継受というのは、甲国の法律を手本にして乙国の法律が立法されることだ。その顕著な実例は、ベルギー・イタリー等の諸国のナポレオン法典継受である。またわが国においては、これが昔から行われたのであって、まず第一にかの大宝令は唐令を継受したものである。しかしそっくりそのままの敷写しではなく、当時の国情に適合するように塩梅《あんばい》してあるのであって、日本人は昔から、パンとまんじゅうを折衷してアンパンを作る、というようなことが上手だったらしい。さらにまた明治維新後の立法には、この立法的継受の実例がすこぶる多い。たとえば民法典のごとき、その内容たる法規中、親族編・相続編の規定にはもちろん固有法的なものが多かったが、夫婦財産制や遺産相続の規定などは継受法であったし、さらに財産関係の規定に至っては、ほとんど全部継受法と言ってよかった。そしてまた昭和二十二年の民法改正によって、戸主家族とか家督相続とかいう固有法的の部分が消滅して、民法全部の継受法的色彩がいちじるしく濃厚になったのである。

そこで、全体かように外国法を継受したものが本当にその国の法律と言いうるだろうか、という疑問が起る。しかし、個人が孤立するものでないように、民族または国家も絶対に孤立しうべきものでなく、他の民族または国家とともに人類を構成しているのだから、他の民族または国家の進歩発達に刺激誘導されて進歩発達するこそ、社会生活当然の現象と言うべきだ。そして法律の継受もまたこの人類社会相関的発達の一現象にほかならぬのであって、そういうことが行われるのはひっきょう、法律が一面において人為的制度なる――すなわち「作」られる――ものであると同時に、他面において人性および社会生活の自然にもとづく――すなわち「在」る――ものだからである。もし法律に人類共通の自然的性質がなかったならば、甲国の法律が移って乙国の法律になりようがないが、もしまた法律に人為的性質がないならば、慣習法的継受のみで、立法的継受のような飛躍は行われえない。

世界法の可能

法律規定の中心をなす「人類普遍の原理」は元来「在」るもので「作」られたものでない、ということを、いま一つ別の方面から申そうならば、「世界法」が可能ではなかろうか、という問題がある。国際法は取りも直さず世界法だが、それ以外の普通の意味の法律は国法であって、各国の主権によって作られた各国別々の法律である。ところでこの国法の傾向について、「国家主義」「民族主義」か「世界主義」か、ということが問題になる。第二次世界大戦前の一現象は、従来共通的色彩が相当に濃厚だった国々の法律につき再びそれぞれの地方色・民族色を取りもどそうと試みられたことであった。ドイツにおいては、かつて学者の間に、ローマ法を宗とする「ロマニステン」と、ゲルマン法に還るべしと叫ぶ「ゲルマニステン」との対立があったが、ナチス政権下においては民族主義が特に高調され、従来の法律学および法律制度に大功績のあったローマ法思想を極端に排斥した。日本でも、大正年間の民法改正計画につき「我邦古来の淳風美俗」がねらいになったのなども、その動向のあらわれと言ってよかろう。国家とし民族としては一理あることだったかも知れないが、しかし世界全体の共同生活が切っても切れないものになっている今日、法律に世界共通の色彩が加わってくるのもまた当然の動向である。各国の主権によって作られた各国別々の法律ではあるが、この各国別々の国法の内容が、少くもいわゆる私法すなわち親族生活および経済生活の法律の方面においては、だんだんと世界共通になってくる傾向がある。

まず経済法においては、経済生活が国際的になるとともに、その法律の内容が世界共通になるのはむしろ当然である。東京の商人とパリの商人とがロンドンで取引するには日・仏・英いずれの商法が適用されるか、というい わゆる「国際私法」は、「法例」と題する法律に規定されているが、この法律はいわゆる「国際公法」に対する意味の国際的私法ではなく、渉外関係事件における法律適用の標準を示した国内法にほかならぬが、しかし将来の問題としては、本当の意味の国際私法すなわち「国際民法」「国際商法」などがある程度実現しそうなことだ。元来、日・仏・英いずれの商法を適用しようかというような問題を生じるのは、各国がそれぞれちがった内容の商法をもっているからである。それゆえ、さようなめんどうな問題をなくするには、各国の商法の内容を統一するのが一番早手まわしである。そして、世界全体としての経済的共同生活がますます密接になるとともに、それが便利でありまた必要になる。その便利・必要が最も感じられるのは手形法であるため、昭和五年には手形統一法、昭和六年には小切手統一法に関する国際条約が締結され、それにもとづいて昭和七年には手形法、昭和八年には小切手法が商法典から分離してそれぞれ制定された。そして、既に手形法の統一が問題になる以上、やがて商法全部の統一すなわち国際商法が問題になるだろうし（昭和三十二年に「千九百二十四年八月二十五日にブラッセルで署名された船荷証券に関するある規則の統一のための国際条約」にもとづき国際海上物品運送法が制定された）、さらに将来には民法債権法の統一、すなわちその範囲の国際民法も問題になりうる。そういう統一法的傾向を「世界法」と言う。

この世界法の観念は、国家主権を無視して世界主権を認めようとするのではなく、国家の立法権によって文化生活・経済生活に関する法律の実質的統一をはかろうというのであって、それならば少しも国家主権と衝突しない。元来の性質として、国家生活の規定たる公法はともかく、人間生活の規定たる私法には世界的・人類的共通性がいちじるしかるべきである。米の飯とパンとはちがっても、食わねばならぬことは人類普遍である。婚礼の儀式・風習は国々で異っても、結婚という男女関係は世界共通である。明治三年に江藤新平がはじめて民法の必要を主唱したとき、『フランス民法典を邦訳してそのフランスという字を日本と書き替えればよい。』と言ったというのも、あながち乱暴な書生論とのみは笑えない。それは一八七〇年のことだが、それから五十六年後の一九二六年に、ケマル・パシャが新トルコの新民法としてスイス民法のトルコ訳を採用したのは、東西前後、革新者の意気込みは割符を合せたようだ。江藤は『フランスに適用する法律なら日本に適しないはずはない。』と言ったということだが、ケマル・パシャもおそらく、当時ヨーロッパ最新最良の民法を採用することによって青年トルコを先進国に追いつかせようとしたのであろう。わが国の明治維新当時と思い合せて感興が深い。ところで、戦後のいわば「昭和維新」によって、民法から家族制度の規定が削られ、「長子相続」なる家督相続が廃されて「諸子均分」の遺産相続一本となり、すなわち身分法の日本的特色がぬぐい去られたのなども、敗戦的屈従というわけではなく、法律発達の世界的・人類的大勢と言ってよかろう。つまるところ江藤案が八十年後に実現しそうな形勢になってきた次第だが、フランス民法を日本民法にしたりアメリカ民法が日本民法になったりするのではなく、日本民法もフランス民法もアメリカ民法もだんだんと内容共通の「人類民法」として一致してくるのである。法律は最大公約数だと言ったが、一つ民法で全人類の親族生活・経済生活が割り切れるようになることが、可能でもあろうし、終局の理想かも知れない。これを要するに、法律の根本中心は「作」られたものではなくて、元来「在」るものなのだから、法律を学ぶには法律の中の「在」るものをつかむことが大切なのである。

第四話　法律は成るもの

慣習法　法律は人間の考えで「作」りうるものだが、しかしその根本に人間の考えではどうすることもできない自然の道理が「在」る、と言った。ところがその自然の道理なるものが必ずしも永久不変ではなく、また人間の考えも時代により境遇によって変るゆえ、法律も不断に進化する。進化はすなわち生成発展であって、この「成」るというのがまた法律の一面である。元来自然に「在」るというのも、人間の生活によってだんだんに「成」り出でたものであろうし、「作」られた成文法は、人類の生活が多少は進んだ後の話で、文字が相当に広く用いられ読まれるようにならなくては、成文法はありえない。最初の法律は人間生活上のしきたりが積もり積もって「成」った慣習法なのである。わが国現在の法律が大部分成文法になっていることは前に述べた通りだが、今日においてもなお「慣習法」が存在しうる。慣習法というのは、社会の慣行すなわち「しきたり」によって発生した社会生活規範が不文の原形のまま法律規範として承認され強行されるようになったものを言う。道路というものがどうして出来たかを考えてみよう。甲村から乙村へ行こうとするのだが、その間は道もない野原だ。人々が思い思いに草踏み分けて乙村まで歩く。そのうちに、最短距離だとか一番デコボコがないとかいうようなわけで多くの人の通り筋が符合して、その部分の草が踏みつけられ、だんだんと野原を横ぎって一筋の線が目に見えてくる。そうするとその後は皆がその線をつたって歩くので、その部分の地面が露出して道らしいものができあがり、そこさえあるいて行けば、草の露に袖もぬらさず、方向もまちがわず、安心して乙村まで行けるようになる。さように人馬の往来によって自然にできあがった道路が、いわば慣習法である。しかしながら交通が頻繁多量になると、そういう自然道路だけでは間に合わないので、だんだんと人工道路が作られる。その人工道路には、従来の自然道路の幅員をハッキリさせたり、ひろげたり、路面をペーヴしたりしたものもあろうし、当初から計画的に新道を開設したものもあろう。それがいわば成文法である。そして人工道路ができたらもはや自然道路は不用になりまたは新たに生じないかと言えば、必ずしもそうでなく、従来の自然道路が相変らず通行されているのもあろうし、新たに自然道路が踏み開かれることもあろう。ことによると、せっかく開設した新道も遠廻りなのでいっこう通行人がなく、草がおいしげって道ありとも見えないようになってしまい、近くて便利な旧道がやはり一般の通路になっていることも、ないとは言えない。これはほんの譬え話だが、慣習法と成文法との間にも類似の関係があるようだ。すなわち、国家がまだ固まらぬ前の社会および初期の国家にあっては慣習法が重きをなして法律の全部または大部分を占めたのであり、今日の成文法時代にも、「作」られざる法律の「成」り出でることが珍しからぬのである。

成文法の慣習法承認　成文法時代の今日でも慣習法が存在しうることは、成文法自身が承認している。前にも述べた通り、国家がまだ固まらない前の社会および初期の国家にあっては、慣習法が重きをなして法律の全部または大部分を占めたものだが、国家生活がだんだん発達しまた文字の使用が普及するとともに、成文法が次第にできてきた。そして最初に成文法になったものは、主として国家生活に関する法律、たとえば行政法とか刑法とかいう類で、人民の私的生活の法律なる民法・商法などは、久しく慣習法にゆだねられていた。そして、慣習法というものはどうしても地方的なので、同じ国内でも土地によって違った法律が行われた。『フランスを旅行すると、宿次ぎの馬を取りかえるごとに法律が変る。』と言われたものだ。かの「ナポレオン法典」なども、この混乱と不便とを除くのが一つの目的だったのである。すなわち、十八世紀末から十九世紀のはじめに当って、一つには諸国家がますます強大になり中央集権・国法統一が希望されたのと、一つにはかの「自然法論」という理想法主義が法学界を支配したのとによって、諸国は競って成文法、殊に大規模・網羅的な法典を編纂しようとくわだて、従ってこの大法典を施行する以上従来の慣習法は一切廃止され将来再び慣習法が発生する余地はないと考えられ、これらの諸法典はいずれも、慣習法の効力を否認する旨を明言または暗示した。ところがその後「歴史派」の法律学説が勢力を占めたので、十九世紀末のドイツ民法典は慣習法排斥の意味の規定を設けなかった。そして学者は、民法典が慣習法を承認したものだと解する点においては一致したが、慣習法は成文法がない場合に認められるのか、成文法とちがった慣習法が発生しうるのか、ということについて議論があった。すなわち、慣習法には補充的効力のみがあるのか変更的効力もあるのか、が問題になるのだが、スイス民法は、慣習法は成文法に対して補充的効力を有する、と規定した。わが国では明治三十一年の「法例」(二条)に

『公ノ秩序又ハ善良ノ風俗ニ反セサル慣習ハ法令ノ規定ニ依リテ認メタルモノ及ヒ法令ニ規定ナキ事項ニ関スルモノニ限リ法律ト同一ノ効力ヲ有ス』

と規定して、慣習法に補充的効力のほか法定の場合の変更的効力を認めた。しかしここまでは規定がなくとも当然のことと思われる。

土地慣習と商事慣習

この成文法による慣習法の変更的効力承認は、民法では土地に関する規定に実例がある。すなわち、農村土地利用の慣行たる入会《いりあい》については、「各地方ノ慣習ニ従フ外」民法の規定に従う、ということにしているが、民法はただ入会権という物権があることを認めただけで、その実質および作用については何ら規定せず、全部を慣習法に一任した。また地上権・永小作権および相隣地関係につき『別段ノ慣習アルトキハ其慣習ニ従フ』『別段ノ慣習ナキトキハ』『別段ノ（異ナリタル）慣習アル場合ヲ除ク外』などと規定しているが、いずれも慣習法の変更的効力を承認したのである。また商法（一条）に、

『商事ニ関シ本法ニ規定ナキモノニ付テハ商慣習法ヲ適用シ商慣習法ナキトキハ民法ヲ適用ス』

とあるのは、商慣習法の商法に対する補充的効力と民法に対する変更的効力とを認めたのである。

反対慣習法の可能

ところで問題になるのは、さような慣習法の変更的効力を認めた成文法規定がない場合にも、成文法の規定と異る「反対慣習法」が発生し成文法がそれによって廃止されることが

ありうるだろうか、ということである。前記「法例」の規定上さようなことはありえないとするのが通説であるし、またそういう規定のあることが事実上有力に反対慣習法の発生をはばむには相違ないが、元来個々の法規は必ずしも永遠の有効を要求しうべきでなく、将来の法律によって改廃されることがある、ということは予期せねばならぬところで、その将来の法律が成文法であると慣習法であるとによって絶対の差違のあるはずはあるまいと思われる。そして、ある成文法の規定が社会生活規範として不適当でありまたは不適当になったため「不慣行」によって消滅しあるいは反対慣習法によって置き換えられるという社会生活上の大勢は、一片の禁止法規で防止するわけにはゆくまい。せっかくの新開道路がだれも通行しないため草ぼうぼうになってしまった、というような「成文法立ちぐされ」の現象もありそうなことだ。現に民法相続編に「財産分離」という制度があるが、明治三十一年に新設されてから五十年間一度も実用されたことがないようだ。これなどはもはや死法と言ってもよさそうで、改正民法がそれをそのまま保存したのが、どういうものかと疑われる。

キングス・ピース　この辺でもう一つ前にさかのぼって、法律は「成」るものというそもそもの始めのことを考えてみよう。前に繰り返し説明した通り、道徳規範とか技術規範とかいうような第一段の社会生活規範に社会の力特に国家権力が加わって第二段の社会生活規範たる法律になるのだが、この生活規範法律化現象すなわち法律の進化が、当初は時・所ともに局部的に行われる。たとえばイギリスの法制史に、「キングス・ピース」(国王平和)ということがある。それには時間的と場所的とあるが、時間的のキングス・ピースは言わば「国王平和週間」である。今日よく「何々週間」ということが催される。たとえば「交通安全週間」だ。交通事故のないように注意せねばならぬことは、いつとても変りはないが、一年中緊張しているのはなかなかむずかしいので、特に何月何日から何日までを安全週間と定め、立札を出したりポスターをはったりして、電車・自動車がわおよび通行人がわ双方の注意をうながし、それによって平生も交通事故防止に意を用いるような習慣をつけよう、というのだ。『週間は習慣だ。』とある人が言ったが、なるほどその通りだ。大体それと同じようなわけあいで、国家発達の初期には国王の威力が毎日々々少しのゆるみもなく緊張することがむずかしいので、たとえば国王の誕生日を中心とする十日間とか復活祭の前後一週間とかをキングス・ピースと指定し、平日にけんかしたのは法律問題にしないが、その期間内の争闘は法律違反として処罰する。かくしてだんだんと一年三百六十五日の平和を法律的に確保することになるのである。

また場所的のキングス・ピースというのは、国王の権力がまだ全国津々浦々野山の末まで行きわたるというわけにゆかぬゆえ、さしあたり一定の地域を限って治安を維持励行するのである。たとえば王宮の周囲何キロメートルを「国王の治安圏」とする。当時はもちろんメートルやヤードではなかったが、投槍の投擲距離たる「ランス・ショット」が治安圏測定の単位になっていたのは、大砲の着弾距離が国際法上の領海の物差になったのと思い合せておもしろい。すなわち、宮殿の正門を円心として六十四ランス・ショットの半径でかいた円内が「不可侵圏」というようなわけだった。しかるにその後国王の権威が増すとともにその範囲が拡大して、ランス・ショットで測定し切れなくなったものとみえ、十一世紀ごろには治安圏の半径が三マイル三ファーロング三エーカーブレッヅ九フィート九パーム九バーレーコーンになったという。キッチリ何マイルとしたらよさそうなものを、「大麦粒」などという小さな端数まで並べたところが、英国風とでも申そうか。

さらにまた、英語で追剝のことを「ハイウェイマン」というのは、なぜだろうか。すなわち「街道男」というので、定九郎が山崎街道で与市兵衛を殺して縞の財布の五十両を取るというようなことは、イギリスにもありそうな話で、ハイウェイは追剝の職場に相違ないが、この名称の起りはそのような常識的なことではなく、やはりキングス・ピースに関係があるらしい。すなわち、当初には野山の末での切取り強盗は問題にならず、天下の往来を騒がした「ハイウェイマン」のみが処罰されたのである。たとえばウィリアム征服王（在位一〇六六―八七年）およびエドワード懺悔王（在位一〇四二―六六年）の法律は、あたかも日本の昔の四道将軍の東海・北陸・西道（山陽）・丹波（山陰）というごとく、都から四方に通ずる幹線の交通路を「キングス・ハイウェイ」と指定し、右の「四国王街道」において「旅客ヲ殺傷又ハ殴打スル者ハコレヲ国王ノ治安ノ紊乱者《ブンランシャ》」として処罰したのであって、やがてそれがだんだんに拡充されて国王の権力が全国に行きわたることになるのである。これはホンの一例に過ぎず、元来人類社会にいかにして法律が発生発達したかについてはいろいろの筋道のあることで、一概には言えないのである。

法律は復讐から　試みにいま一つの方面から例を引くと、法律は復讐から進化したと考えられる。人間にはほかから害を受けるとその仕返しをしようとする自然的・本能的の気持がある。『子のあたまぶった柱に尻をやり』という川柳がある通り、だいている子のあたまを自分のそうで柱にぶつけておきながら、『憎い柱だ、ぶってやりましょう。』と柱をたたいてみせて泣く子を納得させるような気持が、今日でも多分に残っている。これは先祖伝来で、大昔にはもっと強い本質的の気持だったろうと思う。当時において人類が安全に生きてゆくためには、復讐すなわち「かたきうち」が必要だったことが想像される。侵害されながら泣寝入にしてしまうようではその種族は滅亡をまぬかれないから、復讐は種族の自衛作用だ。従ってまた復讐は個人的にのみ行われるのではなく、「部落復讐」または「血族復讐」であって、甲部落の者が乙部落の羊を盗むと乙部落の者が仕返しに甲部落の牛を奪い、Aなる一族の一人がBなる一族の者に殺されるとA血族の者が必ずしも下手人ならぬB血族の一人を殺す、というぐあいである。それによって被害者の腹の虫がおさまると同時に、他人に害を加えるとこちらも害を加えられるということを経験し考慮して互いに警戒し自重することにもなるので、復讐はおのずから社会の安寧秩序保全の役目、今から言えば法律の役目をつとめていた次第である。

かように未開の人類社会において復讐が大事な働きをしたことは、古代の記録にだんだんとあらわれているが、われわれが手軽に見ることのできる文献としては、旧約聖書におもしろい材料がある。旧約聖書が宗教上大切な経文であることと申すまでもないが、同時に古代のユダヤ人の生活および思想の貴重な記録である。その中に『生命《いのち》にて生命を償《つぐの》ひ、目にて目を償ひ、歯にて歯を償ひ、手にて手を償ひ、足にて足を償ひ、焙《やき》にて焙を償ひ、傷《きず》にて傷を償ひ、打傷《うちきず》にて打傷を償ふべし。』（出埃及記《エジプトき》二一章二三―二五）とあって、被害と同程度の害を加えて仇を報いるいわゆる「反坐」の主義があらわれている。

のがれのまち　かくして当初は復讐によって社会の秩序が保たれていたが、そのうちにだんだんと復讐の弊害がいちじるしくなり、人文が進むにつれて社会一般がその過酷・不合理に気がついてきた。すなわち、利害愛憎の渦中に在る当事者間においては、ときに復讐が適当な程度と範囲とを越えることもあり、かえって社会の安寧秩序を害するところから、だんだんと復讐に制限を加えるようになってきた。やはり旧約聖書にくわしく出ている「逃遁邑《のがれのまち》」の制度は（出埃及記《エジプトき》二一章一三、民数紀略三五章一〇―二九、申命記《ヨブ》一九章二―七、約書亜記《ヨシュア》二〇章）、復讐制限のおもしろい一例であり、法律発生現象、すなわち「法律は成るもの」ということを、具体的に示してくれる。「逃遁邑」は、英訳聖書には「シティー・オヴ・レフュージ」とある。すなわち「避難場」である。

旧約聖書によれば、エホバ神がモーゼに

『逃遁の邑を択び定め、誤りて知《しら》ずに人を殺せる者を其処《そこ》に逃れしめよ。是《これ》は汝らが仇打する者を避《さけ》て逃《のが》るべき処なり。』

と教えた、ということになっている。その逃遁邑は適当の間隔を保って六つ設けろ、というのであるが、これは、過って人を殺した者が故殺・謀殺の殺人者と無差別に復讐されては過酷・不公正だ、と気がついたところから、こうした逃込み場所ができるようになったのであって、もちろんエホバ神の御託宣でもモーゼの新発明でもなく、社会生活の必要から生れた制度である。すなわち、人を殺したためにかたきよばわりされる者を逃げ込ませるのだが、そういう避難場の数が少くまた道が遠いと不便だから、ヨルダン川の右岸・左岸にそれぞれ三つずつ、適当な間隔をとって六ヵ所の逃遁邑を設けるのである。

ところで、どういう人が逃遁邑に受け入れられるか、だれがそれを判定するかというに、旧約聖書に、

『素《もと》より悪《にく》むことも無く知らずしてその隣人《となりびと》を殺せる者、例《たとへ》ば人木を伐《きら》んとてその隣人とともに林に入り、手に斧を執《とり》て木を斫《きら》んと撃《うち》おろす時に、その頭《かしら》の鉄柯《え》より脱《ぬけ》てその隣人にあたりて之を死《しな》しめたるが如き是《これ》なり。……恐《おそら》くは復仇《あだうち》する者心熱してその殺人者《ひとごろし》を追《おひ》かけ、道路《みち》長きにおいては遂《つひ》に追《おひ》しきて之を殺さん。然《しか》るにその人は素《もと》より之を悪みたる者にあらざれば、殺さるべき理あらざるなり。』

とあって、故意と過失とでは責任がちがう、という問題が持ち出されている。そして

『斯《かか》る者は是等《これら》の邑《まち》の一《ひとつ》に逃《のが》れゆき、邑の入口に立《たち》てその邑の長老等《としよりたち》の耳にその事情《ことわけ》を述《のぶ》べし。然《しか》る時は彼ら之をその邑に受《うけ》いれ処を与へて邑の中に住《すま》しむべし。仮令《たとひ》仇打する者追《おひ》ゆくとも、彼らその人を殺せる者を之が手に交《わた》すべからず。』

ということになる。旧約のユダヤは長老政治なので、長老たちが避難者収容の適格審査をするのである。

甚だ乱暴な設例だが、曾我の仇討ということにして説明する。かりに東京の駿河台が逃遁邑になっているとする。曾我兄弟が工藤祐経を赤門前で見附けて、親のかたきと追っかける。祐経は本郷通を御茶の水さして逃げてくる。順天堂病院あたりで追いついて斬ってしまえば文句はないが、工藤の足が早くて駿河台へ逃げ込んでしまうと、十郎・五郎も御茶の水橋から内へ追ってはいることはできない。すると駿河台の長老たちが出てきて、祐経に、どうしたわけだとたずねる。工藤が答えて、曾我の十郎・五郎なる者が刀を抜いて追っかけてくるから逃げ込みました、と言う。そこで長老たちが御茶の水橋に出て見ると、なるほど曾我兄弟が、取り逃したか残念や、といきり立っていて、工藤祐経はわれらの実父河津三郎祐泰を殺した仇であるから御引渡を願う、と要求する。工藤に聞いてみると、河津を殺したのは近江《おうみ》・八幡《やわた》二人の者で、自分の知ったことではない、と言いわけする。曾我兄弟の方では、なるほど手を下したのは近江・八幡だが、工藤が教唆したのだから、祐経こそ正しく父の仇なれ、と言い張る。この双方の言い分を長老たちが判断して、曾我兄弟の主張が正しいとみれば、工藤を御茶の水橋外へ追い出し、かくて『祐経は二度目の太刀が深手なり』ということになる。もしまた工藤の弁解を理由ありと認めれば、曾我兄弟を追い返して、祐経はほとぼりのさめるまで駿河台にかくまっておく。

この逃遁邑の長老たちの審判が今日で言えば裁判であって、裁判のめばえはこのようにして生じたものと想像される。そしてこの原始裁判が重なると、

『もし鉄の器《うつは》をもて人を撃《うち》て死《しな》しめば是故殺なり。故殺人はかならず殺さるべし。……また人を殺すほ

どの木の器を執《とり》て人を撃《うち》て死《しな》しめば、是《これ》故殺なり。故殺人はかならず殺さるべし。……もし又怨恨《うらみ》のために人を推しまたは意ありて人に物を投《なげ》うちて死《しな》しめ、また敵《あだ》の心を挟《さしは》さみ手を以て人を撃《うち》て死《しな》しめなば、その人を撃《うち》たる者は必ず殺さるべし。是《これ》故殺なればなり。……然《され》ども敵《あだ》の心なくして思はず人を推しまた意なくして人に物を擲《なげう》ち、または人あるを見ずして人を殺すほどの石を之に投《なげ》つけて死《しな》しむること有《あら》んに、その人これが敵《あだ》にもあらずまた之を害せんとせしにもあらざる時は、……その人を殺せる者を仇打する者の手より救ひ出すべし。』

というような、故殺と過失殺とを区別しそれぞれの標準を示す法律が発生発達するのである。

復讐の制限　もちろん法律の起源は一元ではなく、種々の動因がありうるが、復讐の制限も確かに法律発生発達の一つの姿だったに相違ない。すなわち、昔は復讐が自由であったが、それがだんだんと制限されることになってきた。わが国の徳川時代にしても、武士が敵討に出かけるには殿様の許可を得なければならず、また相手を見つけてもイキナリ切り掛けてはゆけず、他領でめぐり合った場合にはそこの領主に届け出て、検視の役人の出張を願い竹矢来をめぐらした中で仇討するのが正式、というようなわけであった。あるいはまた、親が子の、兄が弟の仇を討つというような逆の敵討は許可されず、「またがたき」は禁止された。たとえば工藤祐経が河津三郎を殺したからその子の十郎・五郎が祐経を討つ、そこまではいいが、今度は工藤の子の犬坊丸が「親のかたき」と曾我兄弟の子を討つ、すると曾我兄弟の子が犬坊丸を、ということになっては、いわゆる「いたちごっこ」で際限がないゆえ、治安維持のためそれを禁ずるのである。そしてその制限がさらに進むと、個人の仇討は許さず、官に告訴させて官憲が犯人を逮捕処罰し、ただ死刑執行の際被害者の子に太刀取りをさせて孝子の情を全うさせる、というようなことになる。すなわち、国家の力がだんだん個人の力を制限し、ついにはそれに取って代るのであって、ここに法律が発生発達して、やがて完成するのである。元来わが国では敵討が美事善行として讃美し奨励された。歌舞伎劇には吉原物と敵討物が多く、中には「碁太平記白石噺」のように両方にまたがったものもある。以前は正月には「曾我」の狂言を出すのが吉例だった。また「忠臣蔵」は、劇界不振の場合にこれさえ出せば大入り大当りで景気が立ち直るというので、芝居道の「独参湯《どくじんとう》」と言われた。独参湯は特効の気附け薬である。そしてその忠臣蔵の実録なる赤穂義士の仇討にしても、義士が切腹を命ぜられたのは復讐がいけないというのではなく、徒党を組み飛道具を持って将軍家御膝元を騒がしたというのが罪状なのである。

江藤新平の復讐禁止令

ところが明治維新となると、復讐についても維新が行われた。それは江藤新平の復讐禁止令であった。江藤新平は明治七年にかの佐賀の乱を起して遺憾な最期を遂げたが、制度取調局長官としてまた司法卿として明治新法制の幕をあけた大功労者だ。そしてその二つの大英断が娼妓解放令と復讐禁止令とであった。吉原全盛・復讐礼讃の徳川時代を離れた途端のことだから、いずれも非常な大英断だったのである。明治の当初、急場の間に合せとして、刑法は徳川幕府のものをそのまま用いたのだが、間もなく「仮刑律」なるものができた。これも内容は徳川時代そのままで、

その中に

『祖父母、父母殴《ウ》タレ死ニ至《イタリ》、因《ヨツ》テ行兇人《コウキヨウニン》ヲ殺スハ無論《ロンズルナカレ》』

とあって、親の仇討は無罪だったのだが、その後だんだんと議論があって、親の仇だからとて勝手に人を殺したのを全然不問に付するわけにはゆかぬということになり、明治三年十二月二十日に発布された「新律綱領」では、祖父母・父母が殺された場合に子や孫が勝手に仇討をすると笞《ち》刑、ということに定められた。しかし笞刑なるものは、打ち手や数取り役の手加減でどうにでもなることだから、結局「ノミナル・ペナルティー」（名義罰）に終りそうなことであった。しかるに明治五年、江藤新平が司法卿となるに及び、わが国を完全な法治国にしようという考えから、堂々たる意見書を添えて復讐禁止令の原案を、今日で言えば閣議に提出した。その意見書は実に名文であり卓見であるから、割愛するに忍びず、その全文をかかげると、

『夫復讐ハ其父兄不幸ニシテ兇悪ノ残害ニ逢ヒ痛憤切迫ノ至情ニ出ルモノニシテ、其仇或ハ力強ク勢熾ナルヲ以テ、微志ヲ抱テ其便ヲ相伺ヒ、或ハ其隠匿逋逃スルヲ以テ、険阻ヲ跋渉シ、風露霜雪ヲ侵冒シ、数年ノ心身ヲ焦労シ、之ヲ追尋報殺シ、或ハ未ダ其踪迹ヲ尋ネ得ズ、中道恨ヲ呑ミ以テ死シ、其子又々志ヲ継ギ、始テ其寃ヲ雪スルノ類、其事情ニ於テハ憫諒ス可キガ如キニ候ヘ共、人ヲ殺ス者ハ必ズ之ヲ殺スハ古今ノ常法、而シテ之ヲ殺スヲ得ルハ司法ノ特権ニ有之、苟モ其職ニアラザルモノノ擅殺ヲ得可キニ非ズ。故ニ父兄ノ仇ヲ復スト雖モ、畢竟私義ヲ以テ司法ノ公権ヲ犯スモノニシテ、固ヨリ擅殺ノ罪ヲ免ルル者ニ非ズ。全体法明ラカニ律厳ニシテ人人畏避スル所ヲ知リ、罪科ヲ犯スモノ少ク、若シ人ヲ

殺スノ兇悪アラバ、必ズ之ヲ逮捕シ之ヲ誅殺シ其罪ヲ逃ルルヲ得ズ、天下ノ者ヲシテ仇ノ報ズ可キ無キニ至ラシムルハ司法ノ主務トスルトコロニ有之候処、従来ノ風習ニテ自ラ其仇ヲ復セザレバ以テ恥辱トナシ、以テ子弟ノ分ヲ尽サザルモノト相心得、郷党モ亦タ以テ不幸ト看做シ相歯ヒセザルヨリ、之ガ為メニ故里ヲ離レ、家産ヲ破リ、妻孥其所ヲ失ヒ、祖先ノ祭祀モ奉ズル能ハズ、尤甚敷ニ至テハ、其理ノ当否ヲ顧ミズ其事ノ故誤ヲ問ハズ濫リニ復讐ノ義ヲ挾ミ相構害スルノ弊害ヲ生ジ、苟モ之ヲ禁止セザレバ、輾転相仇トシ互ニ擅殺スルノ端究極スル時無之、遂ヒニ司法ノ権不相立而已ナラズ人民ノ安寧ヲ妨礙致シ候ニ就テハ、自今以後ハ父兄ノ残害ニ逢ヒ候モノハ事情ヲ明白赴愬シ、官ヨリ其兇悪ヲ処刑スルヲ相俟チ、私ニ復讐致候義ハ一切令禁止、互ニ相擅殺スルノ源ヲ塞ギ候様致度、仍テ御布告案相添此段伺候也。』

というのである。この提案に対しては、「君父ノ仇ハ倶ニ天ヲ戴カザル」は忠孝の極致なるがゆえに罰すべきにあらず、という反対論もあって、相当論争された様子だが、江藤の主張がついに採用され、翌明治六年二月七日太政官布告第三十七号をもって復讐禁止令が発布された。その本文は

『人ヲ殺スハ国家ノ大禁ニシテ人ヲ殺ス者ヲ罰スルハ政府ノ公権ニ候処、古来ヨリ父兄ノ為ニ讐ヲ復スルヲ以テ子弟ノ義務トナスノ風習アリ、右ハ至情不得止ニ出ルト雖モ、畢竟私憤ヲ以テ大禁ヲ破リ私義ヲ以テ公権ヲ犯ス者ニシテ、固擅殺ノ罪ヲ免レズ。加之甚シキニ至リテハ其事ノ故誤ヲ問ハズ其理ノ当否ヲ顧ミズ、復讐ノ名義ヲ挾ミ濫リニ相構害スルノ弊往々有之、甚以不相済事ニ候。依之復讐厳禁被仰出候条、今後不幸至親ヲ害セラルル者於有之ハ、事実ヲ詳ニシ速ニ其筋ヘ可訴出候。若無其儀旧習ニ泥

ミ擅殺スルニ於テハ、相当ノ罪科ニ可処候条、心得違無之様可致事。』

というのであって、その趣旨はもちろん、文章もだいたい江藤司法卿提出の布告案のままであるが、原案には「厳科」とあるのを「相当ノ罪科」と改めた、というふうに多少緩和されている。そこで江藤はそれに満足せずしてさらにその主張を強調したものとみえ、追っかけ同年四月二日の太政官布告第百二十二号が出て、親の仇討も普通の謀殺をもって論じ斬罪に処する、ということになり、復讐が「擅殺《せんさつ》」（ほしいままに殺す）の私刑として禁止されて、ここに国家の権力が確立したのである。

債務者獄　以上、復讐を制限するために裁判が起り、個人の力に代って国家の力が伸びてきた過程を説明したのだが、これはただ法律進化の一面を示したのみで、その他にもいろいろと法律発生発達の筋道はありうるのである。たとえば私法方面でも、昔は「私的差押」が行われた。すなわち、借金を返さなければ貸主自身が借主の所へ押しかけて行って家財道具を持ち帰り、甚しきに至っては借主またはその家族を引っぱってきて奴隷にする、というようなこともあった。その後この私的人身差押の代りに国家が債務不履行の債務者を皆済まで拘留する「債務者獄」なるものが出来たのであって、これまた私力が公権力に移ってゆく一段階である。わたしのロンドン留学中の日記に左の一節がある。

○大正三年（一九一四年）十一月七日

午前にブリクストンの未決監を見学する。（中略）

この未決監の一部に、英国特有のおもしろい監獄がある。これは「債務者獄」(デッタース・プリズン)だ。私人間の貸借で一定の金額を相手方に支払うべしとの判決を受けた者が金を持っていながら払わずまたは判決の際持っていた金を使ってしまったため払えなくなった場合に裁判所は六週間以内の期間でこれを投獄することができるという一八六九年の「債務者法」(デッタース・アクト)によるものだ。この制度にはおもしろい沿革がある。債権者が借金を返せない債務者を監禁することができた古法の遺物だが、英国では封建制度の昔にはかえってこの事はなかったという。封建時代には、個人の身体は個人のものでなく、『ソノ身体ノ戦闘部分ハ国王ニ属シ、労働部分ハ領主ニ属セリ。』というような次第で、私人が私人を監禁するということは許されなかったのだ。ところが封建制度のゆるむとともに、債務者監禁が次第に法律慣習として認められることになり、それには種々の弊害がともない、十八世紀に至って最も甚しかったが、一八三六年に出たチャールス・ディッケンスの有名な諷刺小説「ピクウィック・ペーパース」がその弊害を題材にしたのが一つの動機となり、一八三八年に「ロード・コッテンハムス・アクト」なる改良法律が通過し、さらに一八六九年の法律で前記の範囲に制限されたのだ。この債務者監禁は諸国の昔にあったことだろうが、現今文明国でこの遺物を保存しているのは、恐らく英国だけだろう。一八六九年の法律以来の入獄者が三万人以上という。英国の保守主義もここまで来るとあまり感心できない。この制度の維持についても、信用上必要というような理由も附くだろうが、それには抵当等の担保方法・差押等の救済手段もあることゆえ、このような言わば野蛮の遺風は、改良制限などと言わずに断然廃止すべきだ。

これは大正三年前に古代の遺物を見たというだけの話で、今日ではかような私法上の債務不履行のための人身拘束が認めらるべきでないのはもちろん、財産の差押も国家の裁判を受け執行吏という公吏の手を経なくては行われえないことになって、今日の民事訴訟および強制執行・破産等の制度が発生発達した。要するに法律進化の重要な一径路は「私力の公権力化」なりと言いうる。

縁切寺　さて旧約の逃遁邑の話をしたが、この「避難場」「レフュージ」なるものは、社会学上・法律学上おもしろい現象で、寺院に逃げ込めばいかなる大罪人も刑罰をまぬかれる、というような事がらは、諸国の古代にあったらしい。わが国で有名なのは下総小金《こがね》の一月寺《いちがつじ》で、諸藩の浪人で今日で言えば国事犯人・思想犯人が逃げ込んで追捕をまぬかれる虚無僧寺《こむそうでら》だった。仙石騒動の講談に忠臣神谷転《かみやうたた》がこの寺にかくまわれるくだりがある。

わが国におけるレフュージとして最も興味のあるのは、「縁切寺《えんきりでら》」の制度である。徳川時代の離婚は一方的な「追出し離婚」であった。すなわち、夫は「三くだり半」の離縁状一本で妻を追い出すことができたのだが、妻は法律上の離婚請求権がないのみならず、道徳上もあるまじきこととされたこと、その時代の小説・戯曲類にあらわれている。

『ナンノナンノ半兵衛殿の立腹は皆尤も、三勝とやらに心奪はれ、夜泊り日泊りして女房を嫌ふ半七、所詮末の詰らぬ事と、無理に連れて行《いん》だのは、娘にひけを取らすまいためおれが気迷ひ、それから思案するにつけ、唐《から》も倭《やまと》も一たん嫁に遣った娘、嫌はれふがどうせふが、男の方から追出すまで取戻すといふ理くつはないはず、コリャ宗岸が一生の仕そこなひ、』（艶容女舞衣、酒屋の段）

かような次第で、甚しい片手落な制度であり、女の地位はきわめて悲惨なものであったが、ここにただ一つ、妻が離婚が請求してその目的を貫徹し得る手段があった。しかしこれは最後の非常手段である。徳川幕府の法制を摘録したものとして信用の置ける「律令要略」に、

『夫を嫌ひ家出致し、比丘尼寺《びくにでら》へ駆け入り、比丘尼三年これを勤め、暇出《いとま》で候ふ旨これを訴ふるにおいては、親元へ引取らす。』

とある。これが「縁切寺」であって、「駆込寺《かけこみでら》」とも言う。

東慶寺と満徳寺

縁切寺として有名なのは、鎌倉松ヶ岡東慶寺である。この寺が縁切寺であることは『引っからむ縁をかき切る鎌の寺』などという江戸時代の川柳で有名だ。これに取材した川柳二百五六十句を集めてみたが、それだけで寺の機構と作用とが一通りわかる。しかし川柳のことだから誇張や作為もあるだろうと思って、寺へ行って記録に当り文献をしらべてみたところ、「川柳われを欺かず」、そして実際相当に利用されたものであることがわかった。別著「離縁状と縁切寺」があるゆえ、くわしいことは略するが、頼朝時代からの尼寺で、弘安八年に執権北条貞時が再建、中興開山は北条時宗未亡人の覚山尼、第五代住職が後醍醐天皇の姫宮用堂尼で、その時から「松ヶ岡御所」と呼ばれ、第二十代が豊臣秀頼の姫君天秀尼、という大した格式の寺だ。そしてこの寺の格式が高いということが、縁切寺の働きを強力ならしめる。すなわち、幕府官憲も手を入れることのできない治外法権の場所であり、女が逃げ込んだら男が踏み込んで引きもどすことのできないのは言うまでもない。そして

寺で三年間（のちには足かけ三年）尼をつとめれば、男との縁が切れて自由の身になる、というきまりなのだが、実際はそこまでゆかずに解決する場合が多かったようだ。すなわち、女が駆け込むと、どうせ夫か里の父親が追っかけて来るだろうし、もし来なければ寺から召喚状を出して関係者を呼び寄せ、住職は尼さんだが、男の寺役人がいるゆえ、双方の事情を聴いた上、女が我儘ならば説諭して夫なり親なりに引き渡し、女の言い分がもっともならば、夫を説得して離縁状を取ってやる、そしてどうしても話がつかない場合に寺に置いて足かけ三年の年明けを待たせる、というようなことになる。すなわち、川柳にいわゆる『縁切るにゃ鎌倉どのがうしろだて』『鎌倉の厳命にしたがい離えん』という次第で、ちょうど離婚裁判所、あるいは今日の家庭裁判所のような働きをしたのである。

東慶寺ほど有名ではないが、同じく権威ある縁切寺だったのは、群馬県新田《にった》郡世良田《せらだ》村字徳川の満徳寺である。その寺はその所在地の名前で推測できるように、先祖新田家時代からの徳川家の菩提寺であって、両家の姫君を代々の住職としてきた尼寺であり、その権威によって東慶寺と同様の離婚裁判所的の働きをしてきたのである。そして徳川家自身がこの寺を縁切に利用している。豊臣秀頼の御台所であった千姫は、徳川秀忠の娘で家康の孫だが、大阪落城のとき坂崎成正に兵火の中から救い出され、坂崎は家康の懸賞条件を信じて姫をもらうつもりでいたところ、姫は美男の本多忠刻にとついで坂崎を憤死させた、ということになっている。坂崎への義理合はともかくも、そのまま本多家へ行っては豊臣家に対してさすがにうしろめたいので、尼になって満徳寺にはいり、豊臣家との縁を切った上で再縁した、ということになっている。「ということになっている」と書いたが、正に文字通りだったらしく、姫自身は入寺せずに侍女刑部局が身替りにはいったのである。満徳寺を調査に行ったとき、寺の裏の竹やぶの中にその刑部局俊澄尼の墓をとむらい、封建的忠義は不思議なものかな、と感慨にふけったことであった。

離婚訴権の対等

まずは右様の次第で、東慶寺・満徳寺などの縁切寺は、徳川時代における女権保護機関であった。しかしこれは同時にまた、かような機関のかような方法によって保護されなければならなかったほど当時女権が無視されていたことを示すものである。かくして徳川時代は女権を無視しつつ経過したが、明治維新はこの点についても維新であった。すなわち明治六年五月十五日太政官布告第百六十二号を見よ。

『夫婦ノ際已《アイダヤ》ムヲ得ザルノ事故アリテ、其婦《ツマ》離縁ヲ請フト雖モ夫之ヲ肯《ガエ》ンゼズ、之レガ為メ数年ノ久《ヒサシキ》ヲ経テ終《ツノ》ニ嫁期ヲ失ヒ、人民自由ノ権理ヲ妨害スルモノ不レ少《スクナカラズ》候。自今右様ノ事件於レ有レ之《コレアルニオイテ》ハ、婦ノ父兄弟或ハ親戚ノ内附添、直《タダチ》ニ裁判所ヘ訴出不レ苦《クルシカラズ》候事。』

この布告によってはじめて妻に離婚訴権が与えられたのであって、離婚の観念を一変したもの、正にわが国女権拡張史の第一頁に特筆大書せらるべき劃期的な立法であった。布告文中に「権理」とあるのは「権利」の誤記・誤植ではなく、明治初年にはこう書いたものだということについては、別に語ろうが、明治の離婚制度がまず明治六年の離婚訴訟手続規定から始まり、明治三十一年の民法に至ってはじめて離婚の実体が規定されるようになったことは、注目にあたいする。そして離婚原因につき、明治六年の布告は「夫婦ノ際已ムヲ得ザルノ事故」と抽象的に言ったのを、明治三十一年の民法が「左ノ場合ニ限リ」と十絶対原因を列挙限定したところ、改正民法が四原因を例示して「その他婚姻を継続し難い重大な事由があるとき」と結局相対的離婚原因制度にもどったのも、おもしろい循環現象である。

モーゼの審判　この、離婚法より前に離婚裁判が始まったということは、法律進化の一般現象である。

手続法必ずしも実体法よりも軽からず、発生的にはむしろ手続法が先だ、ということは前にも言った。法律あっての裁判のように今では言うが、はじめは法律なくして裁判が行われたのであること、旧約聖書にもそのおもかげがあらわれている。前にも言ったように、旧約の「律法《おきて》」はモーゼがシナイ山でエホバ神に授かったものということになっており、それは出エジプト記第十九章に書かれている。ところがその前章の第十八章に、モーゼがシナイ山まで行き着く前に既に裁判をしていたことが左の通り記されている。

『次の日にいたりて、モーゼ坐して民を審判《さばき》しが、民は朝より夕までモーゼの傍《かたはら》に立《たて》り。モーゼの外舅《しうと》モーゼの凡《すべ》て民に為《なす》ところを見て言《いひ》けるは、汝が民になす此事は何なるや、何故に汝は一人《ひとり》坐しをりて民朝より夕まで汝の傍にたつや。モーゼその外舅に言《いひ》けるは、民神に問《とは》んとて我に来《きた》るなり。彼等事ある時は我に来れば、我此《これ》と彼《かれ》とを審判《さば》きて神の法度《のり》と律法《おきて》を知《しら》しむ。モーゼの外舅これに言《いひ》けるは、汝のなすところ善《よか》らず、汝かならず気力《ちから》おとろへん。汝も汝とともなる民も然らん。此事汝には重《おもき》に過ぐ。

汝一人にては之を為《なす》ことあたはざるべし。今吾言《わがことば》を聴け。我なんぢに策を授けん。願《ねがは》くは神なんぢとともに在《いま》せ。汝民のために神の前に居り、訴訟《うつたへ》を神に陳《のべ》よ。汝かれらに法度《のり》と律法《おきて》を教へ、彼等の歩むべき道と為《なす》べき事とを彼等に示せ。又汝全躰《すべて》の民の中より賢《かしこく》して神を畏れ真実《まこと》を重んじ利を悪《にく》むところの人を選み、之を民の上に立《たて》て、千人の司《つかさ》となし、百人の司となし、五十人の司となし、十人の司となすべし。而して彼等をして常に民を詢《さば》かしめ、大事は凡《すべ》てこれを汝に陳《のべ》しめ、小事は凡て彼等にみづからこれを判《さば》かしむべし。斯《かく》汝の身の煩瑣《わづらひ》を省《はぶ》き、彼らをして汝とその任を共にせしめよ。……モーゼその外舅の言《ことば》にしたがひて、その凡《すべ》て言《いひ》しごとく成《なせ》り。モーゼすなはちイスラエルの中より遍《あまね》く賢き人を択みてこれを民の長《かしら》となし、千人の司となし、百人の司となし、五十人の司となし、十人の司となせり。彼等常に民を詢《さば》き、難事はこれをモーゼに陳べ、小事は凡《すべ》て自らこれを判《さば》けり。』

すなわち、かなりに整然たる審級裁判制度で、モーゼは自ら最高裁判所をもって任じていたのである。そしてモーゼがシナイ山上で神から授かったという「律法《おきて》」なるものも、結局はこの審判の判決例の積もり積もったものであったかも知れない。

判例法の生成　この判決例が積もり積もって法律が出来上るというのが、法律の一つの「成」り方であって、法律には、成文法と慣習法と「判例法」とがあるのだ。イギリスは立憲政治の本家本元のように言われながら英国憲法は第何章第何節第何条という成文憲法典ではなくて不文の慣習法であるのと同様に、英国名代の契約法と不法行為法は、これらを成文で規定した民法典があるわけでなく、個々の事件についての裁判所の判決例が積もり積もって出来上った判例法なのである。元来裁判所の判決は具体的の一訴訟事件の解決であって、一般的の法則を「作」るつもりでされるものではないのであり、むしろそうあってはならないのかも知れない。しかし、一度ある事件について判決があり、しかもそれがその事件の適当な解決であると、その後同様の事件が裁判所にかかった場合に、それが同じ裁判所ならもとより、他の裁判所であっても、先例にならって同趣旨の判決をしそうなことだ。殊にその先例が、以前ならば大審院、現在ならば最高裁判所の判決であると、それが判例法になる力が相当に強い。大審院または最高裁判所の判例といえどものちの裁判に対する法律上の拘束力はないのだが、下級裁判所は、今までの判例とちがう趣旨の判決をしても上級裁判所で破棄されるだろうと考えて、特別な理由のない限り好んで異を立てないのが、まず普通だろう。

そして大審院または最高裁判所としても、自身が以前にした判決に法律上拘束されるのではないが、以前の裁判所構成法（四九条）に

『大審院ノ或ル部ニ於テ上告ヲ審問シタル後法律ノ同一ノ点ニ付曾テ一若ハ二以上ノ部ニ於テ為シタル判決ト相反スル意見アルトキハ其ノ部ハ之ヲ大審院長ニ報告シ大審院長ハ其ノ報告ニ因リ事件ノ性質ニ従ヒ民事ノ総部若ハ刑事ノ総部又ハ民事及刑事ノ総部ヲ聯合シテ之ヲ再ヒ審問シ及裁判スルコトヲ命ス』

という規定があったので、いわゆる「聯合部判決」すなわち裁判官総出の裁判によらなくては大審院の判例は変更されないことになっていたし、また裁判所構成法に代った「裁判所法」では、最高裁判

所に「大法廷」「小法廷」を設け、「憲法その他の法令の解釈適用について、意見が前に最高裁判所のした裁判に反するとき」は、裁判官全員合議の大法廷判決によるべきものとしたゆえ、最高裁判所判決の判例力が特に期待される。また新しい刑事訴訟法（四〇五条）は、最高裁判所まで持ち出しうる刑事事件を制限し、

『高等裁判所がした第一審又は第二審の判決に対しては、左の事由があることを理由として上告の申立をすることができる。

一　憲法の違反があること又は憲法の解釈に誤があること。

二　最高裁判所の判例と相反する判断をしたこと。

三　最高裁判所の判例がない場合に、大審院若しくは上告裁判所たる高等裁判所の判例又はこの法律施行後の控訴裁判所たる高等裁判所の判例と相反する判断をしたこと。』

と規定して、判例尊重の態度を明かにした。民事訴訟法（三九四条）も昭和二十九年の改正で、右の第一号の場合のほか「判決ニ影響ヲ及ボスコト明ナル法令ノ違背アルコトヲ理由トスルトキニ限リ」上告できるものとした。

判例法の実例　かくして同趣旨の判決が繰り返されるところから、われわれは同実質の事件には同趣旨の判決があるだろうとの期待のもとに行動を規律するようになるのであって、そうなればその判例の内容はわれわれにとっての法律であると言うべきである。わが国においても判例法

は既に相当出来ており、また不断に発生しつつある。
民法によると、婚姻は届出によって効力を生ずることになっている。かように事実婚を無視した形式婚主義の立法がいいかは問題であって、わたしは永年「タトヒ戸籍ニ登録ナシトイヘドモ親族近隣ノ者モ夫婦ト認メ」る者は法律上も夫婦として取扱うという明治初年の事実婚主義に復帰することを提唱しているのだが、改正民法でもこの点は改正されなかった。すなわち、たとい結婚式を挙げ夫婦生活をしていても、届が出ていなければ法律上の夫婦ではないのだが、このいわゆる「内縁の夫婦」の場合に、夫が婚姻届を出すことを拒んで妻を追い出したとしても、民法の正面から言えば、元来夫婦ではないのだから追い出したも追い出されたもないではないか、ということになる。裁判所も以前はそういう態度だったのだが、大正四年一月二十六日大審院民事聯合部判決は、結婚式は婚姻届を出す約束である、その約束を果さないのだから「婚姻予約不履行」であって、違約者に損害賠償責任がある、と判決した。その見解はずいぶんなコジツケで、判決文も「原告花子ト被告一郎トハ大正何年何月何日結婚式ヲ挙ゲテ婚姻ノ予約ヲ為シ」というナンセンスな文句になり、当時学者たちから非難されたものだが、しかしその解決は内縁悲劇のせめてもの救済になるので、その後繰り返して同趣旨の判決が下され、今日では既に久しく、
事実上の婚姻をしながら正当の理由なく婚姻の届出をこばむ者は、相手方に対して有形無形の損害を賠償しなければならない。
という、民法の予想しなかった法則が、判例法として確立したのである。そのほか民法には「債権ノ

「譲渡」のみが規定されているところ判例法によって「債務ノ引受」が認められるようになったとか、質および抵当以外に「売渡担保」（譲渡担保、売渡抵当ともいう）の制度が判例法として発達したとか、いろいろの実例があって、判例法の存在はもはや疑う余地のない事実である。

三権分立と判例法　ところでこの判例法なるものは、いわゆる三権分立論の立場から非難されうる。すなわち、立法・司法・行政の三権は分立して相侵すべからざるものであるから、法律適用機関たる裁判所が法律を作ることは許容しえないというのである。しかしながら裁判官なるものは、前段に法律の進化について述べたところにも暗示されているように、法律よりも古い制度であって、初期の法律はむしろ裁判によって発生発達したのであるから、裁判所を一概に既存法律を適用する機関とのみは言いえない。問題はさかのぼって、法律が先か裁判が先か、ということになる。現実論としては法律あっての裁判だが、発生論としては裁判あっての法律なのであって、裁判所はそもそもその目的から言っても、法律適用機関ではなくて、事件解決機関なのではあるまいか。そして裁判なるものは元来自由裁量によって事件を解決するところから始まったのであって、今日の裁判所は成文法によってすこぶる自由裁量の範囲を制限されているけれども、しかし裁判によって法律が発生し確定する作用はなお留保されているのである。かつまた裁判官は単にその事件限りの便宜的仲裁人ではないのであって、その是非曲直の判断は一般的原則に立脚するのであるから、一事件の判例が種になって以後の同実質事件に適用せらるべき規範が発生し確定することは、必ずしも不合理ではない。裁判所が法律を「作」ると言えばこそ三権分立にも反すれ、裁判によって法律が「成」るのは、禁じえず妨げえない。すなわち法律は、「作るものであり」また「在るもの」であるが、同時に「成」るものであることを忘れてはいけない。

第五話　法律は行うもの

禁酒法
禁煙法

「未成年者飲酒禁止法」「未成年者喫煙禁止法」という法律がある。大正十一年からの古い法律だが、昭和二十二年に改正されているような次第で、忘れられているのではなく、『満二十年ニ至ラサル者ハ酒類ヲ飲用スルコトヲ得ス』『満二十年ニ至ラサル者ハ煙草ヲ喫スルコトヲ得ス』とそれぞれハッキリ規定されておりながら、どうもいっこう励行されていないようだ。ぜんたい禁煙を法律にするのはなかなかむずかしいことだ。『きかぬものたばこ法度』という江戸時代の言葉があると前に言ったが、その禁制が特にやかましかったころ、ある人（河村瑞軒と伝えられている）が場末のさみしい道を通ると、こじきがこもを頭からかぶってモゴモゴしている。何をしているかとのぞいて見ると、たばこをすっているのだ。厳罰で禁止されているのに、食うや食わずのこじきが腹のたしにもならないたばこを隠れてすっているところをみると、この禁令はやがて解けるなと見込みをつけ、値のさがったきせるやたばこ入れを買い占めておいて大もうけをした、という物語がある。禁酒・禁煙を法律にするしないは考えものだが、法律にしておきながらそれを励行しないのは、そのこと自体についてだけでなく、法律全体の権威のために甚だおもしろくない。そのことが行われないだけでなく、行われないと見くびってのヤミ行為をいざなうことにもなる。

法律の施行　法律はいつから行われるか。前にも述べた通り、法律は国会の議決によって成立し天皇によって公布される、と憲法できまっているのであって（国会法六六条で、法律は奏上の日から三十日以内に公布しなければならないことになっている）、さらに「法例」で、『法律ハ公布ノ日ヨリ起算シ満二十日ヲ経テ之ヲ施行ス』（一条）ということになっている。官報に載ってから二十日もたったら一応全国に知れわたるだろう、という趣意なのだが、しかしこれは原則で、『法律ヲ以テ之ニ異ナリタル施行時期ヲ定メタルトキハ此限ニ在ラス』という但書が附いており、普通はこの但書の方が行われるようだ。すなわち、その法律の附則なり、または大法典なら「施行法」で、「公布の日から、これを施行する」ことにしたり、「何年何月何日」から施行するときめたり、またはその施行期日を定めることを政令にまかせたりする。つまり、即時施行を必要とすることもあり、また施行にはいろいろ準備を要することもあって、場合によってちがうのだ。そして、一つ法律が必ずしも全部同時に施行されることを要せず、箇条によって施行期を異にすることなどもありうる。「日本国憲法」第一〇〇条には、『この憲法は、公布の日から起算して六箇月を経過した日から、これを施行する。』と規定され、昭和二十一年十一月三日公布・同二十二年五月三日施行であったことは、御承知の通りである。

法律の不遡及　法律の効力はその施行期から将来に向って生ずるのであって、『法律ハ既往ニサカノボラズ』という格言はむしろ当然である。これを「法律不遡及の原則」と言う。「遡及」は、「ソキュウ」とよむ人も「サッキュウ」とよむ人もあるが、どちらでもよかろう。この原則は人権保護の上からも大切である。「韓非子」に、

『昔弥子瑕《ビシカ》、衛ノ君ニ寵アリ。君ト果園ニ遊ビ、桃ヲ食シテ甘シ。ソノ半《ナカバ》ヲ以テ君ニ啖《クラ》ワス。君イワク、忠ナルカナ、ソノ口ヲ忘レテ寡人《カジン》ニ啖ワシムト。ノチ弥子瑕色衰エ愛弛《ユル》ムニ及ビ、罪ヲ君ニ得タリ。君イワク、コレカツテワレニ食ワシムルニ余桃ヲ以テセリト。』

とあるが、した時にはほめられたことを後になってしかられてはやりきれない。憲法第三九条に、

『何人も、実行の時に適法であった行為又は既に無罪とされた行為については、刑事上の責任を問はれない。又、同一の犯罪について、重ねて刑事上の責任を問はれない。』

と規定されているが、これは刑法の不遡及と「一事不再理」とを保障したものである。そして憲法第三一条には、

『何人も、法律の定める手続によらなければ、その生命若しくは自由を奪はれ、又はその他の刑罰を科せられない。』

とあるが、これは手続だけの問題ではない。明治初年には、「不応為罪」といって、「すまじきこと」をしたら罰する、という制度があった。ある意味ではおもしろいが、今日の法律ではそういうことはありえない。こういうことをしたらこういう罪としてこういう刑に当てる、ということは法律できまっていなければならず、いわゆる「罪刑法定主義」が刑法の鉄則であることは、当然の話だ。

不応為罪というのは、一方は大宝令から、一方は明律・清律から系統を引いて、徳川百箇条（公事

方御定書）に伝わってきた東洋流の刑法観念だが、明治政府はこの制度を受け継いで、明治三年の「新律綱領」に、

『凡《オヨソ》律令ニ正条ナシト雖モ、情理ニ於テ、為スヲ得応《ベ》カラザルノ事ヲ為ス者ハ、笞《チ》三十、事理重キ者ハ、杖《ジョウ》七十。』

と規定した。明治六年七月十三日の神奈川裁判所伺に、

『夫アル婦《ツマ》密《ヒソカ》ニ金銭ヲ懲役人ニ与ヘ又艶書ヲ互ニ贈答スル者ハ各不応為罪ニ問ヒ可然哉』

とあるのなどは、「すまじきことをした」という判例の一つであった。ところが明治十三年の刑法に至って西洋流に一転し、

『法律ニ正条ナキ者ハ何等ノ所為ト雖モ之ヲ罰スルコトヲ得ス』

と規定して、「法無ケレバ刑無シ」の罪刑法定主義を宣言したのである。

ところでこの罪刑法定主義の当然の結論として、罪と刑とは行為の時に行われていた法律できまるのであって、その後に作られた法律をさかのぼらせて罪でなかったものを罪としたり、前法できまっていたより重い刑を科したりすることはできない。これがすなわち「法律不遡及の原則」である。

しかしこの「法律不遡及」は原則であって、例外はありうる。殊に当人に利益な場合には、法律を既往にさかのぼらせる規定をしてもさしつかえない。刑法に『犯罪後ノ法律ニ因リ刑ノ変更アリタルトキハ其軽キモノヲ適用ス』（六条）とあるのは、その適例である。「五年以下の懲役」という規定のあった当時の犯罪につきまだ裁判が片附かないうちに法律が改正されて「三年以下の懲役」ということ

になったら、その後の判決に「懲役三年何月」などという刑を盛ることはできないのである。しかし逆に、行為の時に「三年以下の懲役」となっていたのが改正されて、判決の時の法律では「五年以下の懲役」と重くなった場合には、新法によって三年以上の懲役刑を盛るわけにはゆかないのである。ところで、行為の時に行われていた罰則附きの法律が裁判判決の時には廃止されていたらばどうだろうか。刑法の規定には「刑ノ変更アリタルトキ」とあるが、ここが第二話に言った「勿論解釈」で、「刑ノ廃止アリタルトキ」にはもちろん罰するわけにはゆかないのである。しかしそうなると、解禁を見越してヤミ取引をする、というような弊害が起って取締りが附かぬゆえ、前法を改廃する法律に、

『この法律施行前になした行為に対する罰則の適用については、この法律施行後においても、なお、従前の例による。』

というような附則を附けることが普通に行われる。そうすれば、たとい裁判の時には法律が改正されまたは廃止されていても、行為の時の法律によって処罰するのである。

経過規定　かように裁判が続いている間に法律が改正されたというような場合に、その移り変りはどうするか、といういわゆる「経過規定」が必要なのであって、小さな法律なら「附則」に、大法典なら「施行法」に、その規定をするのが普通である。たとえば、刑事訴訟法が昭和二十三年に改正されて、二十四年一月一日から施行されることになったが、やりかけた裁判を途中で切り替えるのは困るゆえ、施行法に、

『新法施行前に公訴の提起があった事件については、新法施行後も、なお旧法及び応急措置法による。』

と規定したのであって、簡易裁判所や地方裁判所の第一審裁判は全部新しい手続になったが、高等裁判所から最高裁判所にかけては、まだ古い手続の裁判がウンとたまっている。

この「応急措置法」というのは、終戦後法律急転回の新立法形式であって、そのおもなものは民法と刑事訴訟法とのそれぞれの応急措置法であった。この法律の本名は「日本国憲法の施行に伴う刑事訴訟法の応急的措置に関する法律」という長たらしいものなのだが、その法律の性質はその題名にあらわれている。すなわち、民法の第四編・第五編にしろ刑事訴訟法にしろ、新憲法の規定と両立しがたい箇所が多いから全面的に作り直そうということになったのだから、憲法施行の昭和二十二年五月三日までに改正法が公布されて同日に施行されることに運ぶとよかったのだが、なにぶんそれぞれ大法典なのでとうてい間に合いそうもないゆえ、取りあえず根本のかつ要急の事がらだけを規定して憲法と同時に実施し、新法の施行とともに効力を失う、ということにした「つなぎ」の法律であり、これまた一種の経過規定と言ってよかろう。そして新法中既に応急措置法に規定された部分については、新法が実質上憲法施行の時までさかのぼって行われていたことになるのである。たとえば、「刑訴応急措置法」（一〇条一項）中に

『何人も、自己に不利益な唯一の証拠が本人の自白である場合には、有罪とされ、又は刑罰を科せられない。』

とあるが、これは憲法第三八条第三項を文句もそのままに出したものである。ところがこの「本人の

自白」というのは公判廷の自白を含むかどうかということが問題になり、最高裁判所でも意見がわかれたので、改正刑事訴訟法（三一九条二項）は、

『被告人は、公判廷における自白であると否とを問わず、その自白が自己に不利益な唯一の証拠である場合には、有罪とされない。』

と規定して、疑問の点を明かにしたのである。

裁判所の組織　さて、法律を「行」う最も直接的な方法は裁判である。法律規定は床の間の飾り物ではないのであって、現実の生活に適用せらるべきものであるが、法規は一般的・抽象的に規定されているから、それを人生に実際起る千差万別の事件に適用するには、まず具体的の事実を十分に確めた上でそれが法規のどの部分に当てはまるかを判断せねばならぬ。その判断を求めるのが訴訟であるが、その判断は私人が勝手に下したのではだめで、裁判所という国家機関によって行われる。裁判所の発動をうながして是非曲直の判断を仰ぐことは、国民の権利として尊重され、憲法第三二条に、

『何人も、裁判所において裁判を受ける権利を奪はれない。』

と保障されている。

裁判所の組織は、旧憲法の下では「裁判所構成法」で規定されていたが、新憲法にともなって「裁判所法」がそれに代った。裁判所は「最高裁判所」「高等裁判所」「地方裁判所」「家庭裁判所」「簡易

裁判所」ということになっている。家庭裁判所は新設だから、これはあとまわしにして、ほかの四つは、旧法の「大審院」「控訴院」「地方裁判所」「区裁判所」にそれぞれ相当する。

簡易裁判所は、民事・刑事とも比較的軽い事件を判事一人でさばく第一審裁判所だ。民事では「訴訟の目的の価格が十万円を超えない請求」（行政事件訴訟を除く）の事件、刑事ではその刑が「罰金」とか「禁錮又は罰金」「懲役又は罰金」とかなっている罪の事件を取扱う。つまり罰金で済む場合というわけだが、罰金で済まない場合でも、禁錮以上の刑を科することはできない。ただ窃盗罪には三年以下の懲役を科することができる。そしてこれらの制限を超える刑を科することを相当と認めるときは、事件を地方裁判所に移すのである。

地方裁判所は、簡易裁判所では取扱えない事件の第一審、簡易裁判所の判決に対する控訴等を取扱う。事件により、単独の判事で、または三人の判事の合議で裁判する。

高等裁判所は、主として地方裁判所の第一審判決と家庭裁判所の判決および簡易裁判所の刑事に関する判決に対する控訴を裁判する三人の合議制の裁判所である。

最高裁判所は、上告審の裁判所であって、「東京都に置く」ことが法律に規定されている。長官を含めて十五人の裁判官で組織され、その全員で裁判する「大法廷」と、三人以上の裁判官を一組とする「小法廷」とで裁判する。現在では五人ずつの三小法廷になっている。

憲法の番人　ところで、最高裁判所が以前の大審院より一段上だとされるところは、

『最高裁判所は、一切の法律、命令、規則又は処分が憲法に適合するかしないかを決定する権限を有する終審裁判所である。』

という憲法第八一条の規定に存する。すなわち、最高裁判所はいわゆる「法令審査権」を持っているのであって、「憲法の番人」と言われるゆえんである。しかし裁判所のことだから、自分の方から平地に波瀾を起して憲法論を持ち出すわけではなく、まず訴訟が起った上での話だ。そして裁判所法（一〇条）に、

『左の場合においては、小法廷では裁判をすることができない。

一　当事者の主張に基いて、法律、命令、規則又は処分が憲法に適合するかしないかを判断するとき。（意見が前に大法廷でした、その法律、命令、規則又は処分が憲法に適合するとの裁判と同じであるときを除く。）

二　前号の場合を除いて、法律、命令、規則又は処分が憲法に適合しないと認めるとき。

三　憲法その他の法令の解釈適用について、意見が前に最高裁判所のした裁判に反するとき。

とあるのであって、大法廷は憲法問題と判例変更問題とを裁判するのである。

民事・刑事の訴訟

裁判の手続がすなわち訴訟であって、民事訴訟法と刑事訴訟法とがその規定だ。そして事件そのものは、必ず民事とか刑事とかいうわけでなく、一つ事件で両面の法律問題が生じうる。ここに甲が乙になぐられて負傷したという事件があったとする。甲は乙の行為をいわゆる不法

行為なりとし、民法第七〇九条の

『故意又ハ過失ニ因リテ他人ノ権利ヲ侵害シタル者ハ之ニ因リテ生シタル損害ヲ賠償スル責ニ任ス』

というのに当ると主張して、裁判所の判決を要求する。乙は然らずと主張して、裁判所が甲の請求を却下することを要求する。これが民事訴訟である。そこで裁判所は、甲すなわち原告と乙すなわち被告との双方の言い分を聴き、証人や証拠物をしらべた上で、乙の行為に故意または過失があるか、乙の行為が甲の権利を侵害したことになるか、甲がそれによって損害を受けたか、その損害はどのくらいか、甲の方にも過失がありはしなかったか、等を判断し、その結果によって、甲の請求は理由なしとか、乙は甲に損害賠償金何万円を支払うべしとかいうような、判決をする。その判決がそのまま確定することもあり、控訴を経、さらにまた上告を経て確定することもあるが、それらの詳細は裁判所法および民事訴訟法の問題であり、また常識でだいたい御承知のことだから省略するとして、もし乙が判決によって損害賠償を命ぜられた場合に自発的にそれを支払わないと、「執行吏」（以前には「執達吏」と言った）が乙の財産を差押えそれを競売して金に替えその金を甲に渡す、というような「強制執行」が行われる。すなわち、国家の力によってそこまで法律の効力が実現徹底されるのである。

さらにまた右の乙が甲をなぐったという事件は、他面刑事訴訟をひきおこしうる。すなわち、検察官が事態を不問に付しがたしとして起訴すると、裁判所は公判を開いて、乙の行為が果して刑法第二〇四条

『人ノ身体ヲ傷害シタル者ハ十年以下ノ懲役又ハ五百円以下ノ罰金若クハ科料ニ処ス』

に当るかどうか、もし当るとすれば何年の懲役、何円の罰金・科料に処すべきか、ということを具体的に判断宣告し、そして有罪の判決があった場合には国家の力でそれが執行されるのである。

なお旧憲法時代には、「行政裁判所」という特別裁判所があったが、新憲法は特別裁判所を設けることができないことにした（七六条二項）から、一切の行政事件も民事事件として普通裁判所で裁判することになった。また司法省がなくなって、その取扱っていた司法行政事務が裁判所と法務省とに分属することになった。

法律と貨幣価値

法律を適用するについて、一つ問題になることは、その法律が作られた当時と現在とで事情が変っていることだ。法規は固定し事情は変遷するのだから、どうもシックリしないことが起りうる。中でもいちじるしいのは貨幣価値の変動である。現に、前段に引いた刑法の条文中に「十年以下ノ懲役又ハ五百円以下ノ罰金若クハ科料」とある。それが規定された明治四十年当時には「五百円」は相当の金額だったのだろうが、今日になると、いわゆる「選択刑」で懲役か罰金・科料かという場合に、五百円か十年かなどは、ちょうちんと釣鐘で、むしろ滑稽だ。江戸の小話に、

『御大名の御登城、雑踏の市中のことで、往来の人の高ばなしが駕籠の中に洩れ聞える。「米が両に八斗になった、これじゃあこちとらはやりきれねえ。」登城して控えの間に通ると、諸大名が詰合って居る。「時に諸公は昨今の米価を御承知でござるかな。」「イヤ一向に心得ませぬ。」「これはいかなこと、それで天下の政道がなるものでござるか。今日の相場は両に八斗にて、下々が難渋致しおりまする。」「こ

れは恐れ入ったこと、時にその「両」とは何両でござるか。」「もちろん百両でござる。」』というのがあるが、これが今日ではいっこう笑い話にならなくなった。そこで「罰金等臨時措置法」という法律が出来て、昭和二十四年二月一日から当分の間、科料については、刑法に「十銭以上二十円未満トス」とあったのを、「五円以上千円未満」ということにし、罰金については「それぞれその多額の五十倍に相当する額をもってその金額とする」ことにした。すなわち前記の法文は「十年以下ノ懲役又ハ二万五千円以下ノ罰金」と読みかえることとなったのである。

人権擁護の憲法規定

ところで刑事事件においては、法廷に持ち出されるまでの手続としての捜査の段階において容疑者の身体を拘束したり家宅捜索をしたりする際に、また警察官や検察官の取調べに当り、無理があっては困るし、裁判の時に被告人に言うだけのことを言わせなくてはいけないから、憲法はこれらの点について数条つづきの規定を設けた。憲法としては少々こまか過ぎると思われるくらいで、憲法がここまでやかましく警告しなければならなかったのは、過去においてややもすれば「人権じゅうりん」があったことの告白のようにも思われて、はずかしい次第だが、ともかくも規定そのものはもっとも千万なことばかりである。すなわち

第三三条　何人も、現行犯として逮捕される場合を除いては、権限を有する司法官憲が発し、且つ理由となってゐる犯罪を明示する令状によらなければ、逮捕されない。

第三四条　何人も、理由を直ちに告げられ、且つ、直ちに弁護人に依頼する権利を与へられなければ、抑

留又は拘禁されない。又、何人も、正当な理由がなければ、拘禁されず、要求があれば、その理由は、直ちに本人及びその弁護人の出席する公開の法廷で示されなければならない。

第三五条 何人も、その住居、書類及び所持品について、侵入、捜索及び押収を受けることのない権利は、第三十三条の場合を除いては、正当な理由に基いて発せられ、且つ捜索する場所及び押収する物を明示する令状がなければ、侵されない。

捜索又は押収は、権限を有する司法官憲が発する各別の令状により、これを行ふ。

という次第で、現行犯以外の場合には、なかなか手数のかかることになったのだが、人権擁護はこれでなくてはならない。さらにまた昭和二十三年に、われわれが英国歴史で学んだ「ヘビアス・コーパス・アクト」、日本ではじめての「人身保護法」が制定され、

第一条 この法律は、基本的人権を保障する日本国憲法の精神に従い、国民をして、現に、不当に奪われている人身の自由を、司法裁判により、迅速、且つ、容易に回復せしめることを目的とする。

第二条 法律上正当な手続によらないで、身体の自由を拘束されている者は、この法律の定めるところにより、その救済を請求することができる。

何人も被拘束者のために、前項の請求をすることができる。

ということになった。ところでついでながら、憲法の今まで引いた条文には、またこの人身保護法にも、しきりに「何人も」という言葉が使ってある。これは「ナンニンモ」ではなくて「ナニビトモ」だが、旧法文のきまり文句で、弁護士さんが仲秋観月の雅宴で『何人も観る権利あり秋の月』とやっ

たという笑い話がある。せっかく口語体法文になったのだから、「だれでも」とはゆかないものだろうか。もう一つついでに、今日の口語体法文は時にあまりにコンマを切り過ぎる、と前に言ったが、人身保護法第一条はその好適例のようだ。

ところで憲法には次に、

第三六条　公務員による拷問及び残虐な刑罰は、絶対にこれを禁ずる。

とある。「拷問を禁ずる」はよくわかるし、従来ことによるとあったかも知れない弊害に釘をさしたものである。「残虐な刑罰を禁ずる」というのは、今後刑罰法令を立法する場合に、昔あったような「火あぶり」「はりつけ」などという野蛮な刑はもちろん、必要以上の苦痛を受刑者に与えるような刑罰を設けてはいけない、という意味にほかならず、現在の刑法その他がきめている刑罰中に残虐な刑罰があるというのではない。死刑は残虐な刑罰だから違憲だという訴訟が起った。死刑廃止論の当否は別とし、最高裁判所は、現在の方法による死刑が残虐な刑罰だとは言えない、という趣旨の判例を作った。さらに、

第三七条　すべて刑事事件においては、被告人は、公平な裁判所の迅速な公開裁判を受ける権利を有する。

刑事被告人は、すべての証人に対して審問する機会を充分に与へられ、又、公費で自己のために強制的手続により証人を求める権利を有する。

刑事被告人は、いかなる場合にも、資格を有する弁護人を依頼することができる。被告人が自らこれを依頼することができないときは、国でこれを附する。

とある。この第一項の「公平な裁判所」というのは、裁判が公平に行われることを疑わせるような事情のない裁判所という意味であって、刑事訴訟法には「不公平な裁判をする虞がある」判事をその裁判から排斥する「除斥」および「忌避」という手続が設けられている。また「迅速」というのは、裁判が不当に遅延しないことである。昔から「公事《くじ》三年」などと言って、裁判はとかく永引くものだから、なるべく早く片附くよう審理を急ぐべきことはもちろんだが、複雑困難な疑獄であるため相当な時日を要すのはやむをえないことで、必ずしも拙速をたっとぶというわけではない。第二項は、証人訊問の場合に被告人が立会って、証人に対して十分質問をすることができ、また自分の呼びたい証人が出て来ない場合には公費による強制手続をしてもらいうることを保障する。第三項は、弁護人を依頼する権利の保障で、国選弁護人をも約束している。

本人の自白のみで断罪することができない、という憲法第三八条第三項の規定は前に引いたが、同条の第一項・第二項は、

第三八条　何人も、自己に不利益な供述を強要されない。

強制、拷問若しくは脅迫による自白又は不当に長く抑留若しくは拘禁された後の自白は、これを証拠とすることができない。

というのである。この規定は、徳川幕府時代の御白洲からの遺風もあってわが国従来の刑事裁判がとかく自白に重きをおき過ぎた弊害を抑える対症薬として、すこぶる意義がある。

口語体判決文範

さて、裁判の判決は判決文に作られる。その判決文は、以前には普通に文語体だったのが、法文が口語体になったのと同時にすべて口語体で書かれることになったのは、まことに結構なことだ。元来、判決は「言い渡す」ものなのだから、口語体であることがむしろ本質的なのである。口語文の長所は、申すまでもなく、わかりよいということだ。そしてこの、わかりよくなくてはいけないということが、判決文にとって特に大切なのだ。元来、民主政治というのは、すべての人を納得させる政治でなくてはならないのだから、裁判もまた、民主裁判であるためには、関係者はもちろん一般世人をも、なるほどこういうわけでこっちが勝ってあっちが負けたのか、なぜ無罪なのか、どうしてこれだけの刑に当るのか、ということの納得がいくように判決文を書かねばならない。ところが今までの判決文は、どうかすると、判断はまちがっていないのだが、説明不十分で、木で鼻をくったようだったり、門前払いの不愛想だったりして、甚だ物足りないことがある。そこで、「口語体判決文章規範」とでもいうべき判決を一つお目にかけたい。なお、人名は変名にし、土地は町名番地をはぶいた。句読の切り方は、なおあるべしと思うゆえ、読者の便宜のため多少の補正をした。

主　文

被告人を懲役三年に処する。但し、この裁判確定の日から三年間右刑の執行を猶予する。

理　由

被告人は京都市内で洋家具製造販売業を営んでいた父の二女として生れ、五歳の頃実母と生別し、父の後妻に迎えられた生母の実妹を継母として異母兄妹と共に教育せられて、高等小学校卒業後ミシン裁縫や家事の手伝をしていたが、二十歳の頃父に見込まれた徒弟山下文三と結婚して世帯を持ち、一男一女を儲けたところ、やがて右文三が今次の戦争に海軍軍人として応召したので、一時同人の郷里や被告人の姉の婚家等に疎開して、所持の衣類等を売食いして暮すうち終戦となり、昭和二十一年十月文三が復員して帰って来たので、再び京都市に転入し、同年十一月頃から同市中京区鈴木サト方階下六畳の一室を借受けて夫や子供等と同居することになったが、被告人の長男太郎（当時七年）及び長女花子（当時五年）がうるさく泣きさわぐというので、サトやその家族と毎日風波の絶え間がなく、これがため右サトからやかましく転居方を迫られたので、方々借家等を捜して見たが、終戦以来の住宅難のため容易に発見することができず、しかも夫文三は洋家具職人として毎夜おそくまで仕事に出かけ、たまたま家庭にあっても被告人と打ちとけて話し合うことはなく、子供の養育も殆んど被告人に任せ切りという状態であったので、かねてヒステリー気味のあった被告人は、文三が最近馴染の女のところへ通っているらしいという世評を聞くにつけ、夫の愛情が次第に冷却して行くのではないかとの疑惑を懐き、果ては厭世観に襲われるようになっていた折柄、昭和二十二年二月十日朝サト方に訪問客があった際花子がひどく泣いたことからサトと激しく口論を交したため、日頃抑えていた憤悶の情が一時に発し、ついに死を決したが、被告人亡きあとの二子の薄倖な身の上に思いを致したとき、寧ろ同人等を懐いて入水し親子心中をするに如かずと決意し、同日午後三時頃太郎及び花子を伴ってサト方を出で、時間待ちとこの世の名残りに新京極の盛り場へ行って、映画を見たり子供等に食事をさせたり玩具を買い与えたりした後、同日午後九時頃同市東山区川端通疏水川縁に立って、無心に眠っている花子を紐等で背負い、太郎の手をひいたまま母子諸共疏水に身を投じ、被告人のみは間もなく救助されたが、ついに太郎及び花子の両名を溺死させてこれを殺害したものである。

右の事実は

一、原審第一回公判調書中、被告人の供述として、太郎及び花子の死因の点を除き、判示同旨の記載

一、証人山下文三の当公廷に於ける、同人が被告人と結婚してから一男一女を儲けた後応召し、復員後被告人等妻子と判示鈴木サト方に同居してからの生活状況につき判示に照応する供述

一、証人〇〇〇〇の当公廷に於ける、自分と被告人とは腹違いの兄妹であるが、被告人の夫文三は以前私の父に使われていた職人であり、よく働くので父が見込んで被告人と結婚せしめたものと思う、被告人はヒステリー性なところがあり、その上少し頭が悪いといったところもあった、被告人が子供を道連れにして死ななければならなかった事情としては、お互に苦しい時代で、精一ぱい働いても苦労が絶えないし、食うものは不自由だし、鈴木方からは家の明渡しを求められて責められるので、立退先の家が一軒欲しかったし、文三は家庭のことは顧みない程仕事に熱心なので、同人にこまごま話すべき時間もなかったし、その上ヒステリー性で妊娠していた、というようなことが嵩じた結果と思う旨の供述

一、鑑定人〇〇〇〇作成の鑑定書中山下太郎及び同花子の死因は溺死である旨の記載を綜合してこれを認める。

被告人の判示所為は刑法第百九十九条に当るが、右は一個の所為であって二個の罪名に触れる場合であるから、同法第五十四条第一項前段第十条により、犯情重しと認める山下太郎に対する殺人罪の刑に従って処断すべきものである。検事は、被告人が自殺を決意し二児をその道伴れにしようとしたのは、子は親の私有物であるとの封建思想からまだ脱却し切っていないものであって、新憲法によって保障せられる基本的人権を無視することの甚しきものであるから、他戒と自己反省の機会を与えるため厳重に処罰しなければならない、と主張し、当裁判所も、右の如き封建的思想はこれを排斥打破すべきものであり、幼児と雖も平等に基本的人権を享有し、特に人の生命権は何人もこれを尊重すべき責務を有することを厳に確認するものである。従って、この大原則を無視しこの人権を侵害するものに対しては、厳罰を以てこれに臨むべきものであるということも、亦異論のないところである。然しながら、本件犯罪の動機は、前記認定の如く、被告人は鈴木サト及びその家族との感情上同人方に一日も居辛く、さりとて他に住むべき家もなく住居の不安の為非常に焦燥感におそわれていたこと、然るに夫文三は職人気質でひたすら仕事に精進するのみで妻子を顧みず、被告人と打ちとけて話合いすることもなく、精神的に冷淡であったこと、その上被告人は夫の素行を疑い、益々疑心暗鬼を生み、夫に対する愛情を失い、女性特有のやるせない感情にとらわれていたこと、被告人は早く生母と生別れ、異母兄に対する遠慮から、親身になって相談相手となってくれる人もなく、他に援助も得られないと思っていたこと等の如き事情と感情から、被告人は極端な厭世観におそわれた結果、遂に死を決するに至ったのであるが、その際被告人は二児に対する母性愛から、自己亡き後の子供の苦労を免れしめる為には親子心中をするにしかずと信じ、本件犯行に及んだものであって、翻って之を冷静に判断すれば他に採るべき方途はいくらもあり、決して死ぬ程のことはなかったのであって、此の際強く生き抜くことこそ新しい時代の女性のとるべき道であったのである。然るに事茲に出でなかったのは、被告人は生来愚鈍な性質であって、教養の程度も低く、その上当時妊娠中であって、ヒステリー症に罹っていた為、何等の分別もなくかようなあさはかな行動に出たものであって、本件犯行は畢竟被告人の精神的欠陥と妊娠中の異常心理に起因するものと認むべきものであって、かような場合に於ける被告人の行動は常規を以て律し得ないものがあり、たとえ心神耗弱とは認め難いまでも、情状大いに憫諒すべきものがある。

以上の理由により、前記罰条中有期懲役刑を選択し、其の刑期範囲内で被告人を懲役三年に処すべく、なお前記情状の外に、被告人は改悛の情が顕著であって、再犯の惧もなく、又被告人の夫文三も一旦被告人と離婚を決意したが、第三子信雄の出生により、此の子に対する愛情から被告人の罪を宥恕し、再び被告人と同棲し、円満な家庭生活を営みつつあること既に二年、今被告人に実刑を科することは、既に継続しつつある平和な家庭生活を破壊し、第三子信雄の将来に暗い影を残すことにもなり、一家を破滅に陥らしめるのみならず、再び被告人をして愛児と離れて死に勝る苦痛をなめしめる結果にもなるので、厳に将来を戒めてその刑の執行を猶予するを相当と認め、刑法第二十五条に則り、この裁判確定の日から三年間右刑の執行を猶予すべきものとし、主文の通り判決する。

昭和二十四年九月二十六日

大阪高等裁判所第二刑事部

裁判長　判事　田中正雄

判事　松村寿伝夫

判事　石丸弘衛

この判決の眼目は、なぜ執行猶予の恩典を与えるか、という点について至れり尽せる説明をしたことである。昭和二十三年の秋、全然同じ型の子殺しの母親に対し、浦和地方裁判所が同じく懲役三年執行猶予三年の判決をしたところ、子供の基本的人権を無視したというので参議院法務委員会が問題にし、最高裁判所と意見が対立したことがある。その点の議論はさしひかえるが、裁判所がわにも一つ弱点があった。それは、執行猶予の理由を「諸般の情状に鑑み」という一言で片附けたことである。もし今度の判決のように大義名分を明かにしてしかも情理兼ね備わった説明があったならば、法務委員会も横槍を入れるスキがなかったろうと思う。ところでこの判決文も口語文としてまだ満点とは言えない。もう一つくだけてほしいが、それには判決慣用の言葉から直してかからねばなるまい。たとえば「判示」など、便利な言葉だが、しろうとが耳で聞いてはわからない。理想は、読んで聞かせてしろうとにもわかる、というところにある。

条理で裁判できるか

さて、裁判は法律を事実に適用するのだ、ということになっているが、ここで問題になるのは、成文法の規定も慣習法もない場合に裁判所は条理を適用して裁判しうるか、ということである。自然法論者は、条理がすなわち法律なのだから裁判所はそれを適用して裁判しうる、と言う。今日の通説は、条理は法律でないから裁判所はそれを適用して裁判することはできない、と言う。結論は正反対だが、両説共に、裁判所は法律のみを適用する機関だ、という観念を前提とする点において一致する。ところでわたしは、自然法論とも通説とも趣きを異にして、条理は法律ではないけれども裁判所は条理を適用して裁判しうる、と言いたい。元来裁判所は条理によって裁判する機関であり、法律はむしろ裁判官の条理裁判に標準を与えてその自由裁量を制限する規定として発生発達したものであることは、前にも言った。そして法律がすこぶる発達整備した今日においても、法律が現在および将来のあらゆる生活需要を網羅することはとうてい不可能であって、「法律の欠陥」は、理論上はともかく、実際上はまぬかれえない。他方、裁判所は規定なきのゆえをもって裁判を拒むことはできないのだから、法律に規定のない事案が起った場合に、それが刑事事件ならば無罪の判決をして済むが、民事事件だと何とか始末を附けざるをえない。そこで裁判所が条理によって法律を補充するのはむしろ当然の必要で、実際上常に行われているところである。民事裁判の判決理由に「何法

第何条ニ依リ」とハッキリ言えない場合、「何々ノ筋合ナルニヨリ」という文句を使うことがいっとなく行われ始めた。「筋合」という言葉はどこから出たのか知らないが、ちょっとおもしろい。物事はいろいろの筋道から考えねばならぬ。ただ一筋に思いつめたりすると、トンダまちがいが起る。上からも下からも右からも左からも前からもうしろからもそれぞれの筋を押しつめ、その筋の合うところが「筋合」であって、それがすなわち条理である。

徳川の旧法が廃止されて維新の法制がまだ整わなかった明治の初年には、条理裁判は当然でありまた必然だったのであって、明治八年太政官布告第一〇三号「裁判事務心得」第三条は、

『民事ノ裁判ニ成文ナキモノハ習慣ニヨリ習慣ナキモノハ条理ヲ推考シテ裁判スヘシ』

と規定した。この布告そのものはとっくに効力を失っているのだが、その内容は元来当然の原則であって、理論上も実際上も然らざるをえないのである。一九〇七年に制定されたスイス民法の第一条はさらに一歩を進めて、

『文字上または解釈上この法律に規定のある法律問題に関しては、すべてこの法律を適用する。

この法律に規定がないときは、裁判官は慣習法に従い、慣習もない場合には、自身が立法者であったならば法規として設けたであろうところに従って裁判する。

前二項の場合において、裁判官は確定の学説および先例に準拠しなければならない。』

と規定した。すなわち、成文法にも慣習法にも規定されていない事がらについて、裁判官は、学説および先例を標準としつつも、その事件の解決に適切なるべき条理を自ら想定し、それによって裁判す

るのである。要するに条理裁判はある程度否でも応でも是認され実行されざるをえないのであって、その条理裁判が種になって判例法が出来上ることは前に述べたが、条理そのものを法律だと言う必要はないと思う。

調停制度　かくして法律は結局裁判によって行われるのであるが、しかし法律の内容は裁判や強制執行で残る隈なく実現徹底させるわけにはゆかない。戦争が国際紛争の最善な解決でないと同じく、裁判所の判決は必ずしも紛争の最善な終局の解決ではありえない。ある試験で『法廷に黒白を争う』という問題が出たら、『お寺で碁を打つこと』という名答案があったそうだが、法律による裁判は時としてあまり一刀両断に黒白を分ち過ぎる。およそ紛争が起るには、多くの場合双方に道理もあれば不道理もあるのであって、『泥棒にも三分の理』とやら、十が十まで一方が白で他方が黒ということはむしろ少く、五分五分であったり、四分六分であったり、七分三分であったりするのだから、一方が勝訴、他方が敗訴という裁判判決が時にはかえって十分実情に適せぬことがあり、また勝った負けたということにしては、当事者間に永く怨恨を残し、将来の共同生活を妨げ、社会の平和を害する。そこで、双方が譲歩して紛争を解決する「和解」、第三者の裁決に服従することを約する「仲裁」、というような方法が、既に民法と民事訴訟法とに設けられていたのだが、近年、裁判と和解と仲裁とを打って一丸としたような純法律的・純訴訟的でない紛争解決方法が考案実施されることになったのであって、それがすなわち調停である。

この調停制度がそもそも問題になったのは、大正八年に「臨時法制審議会」が設けられて民法改正審議を始めた時であった。その審議会の第一の任務は、「我邦古来ノ淳風美俗」にかなうような民法改正要綱を議決することであったが、今から思うとかなり反動的な難問だったので、甲論乙駁、本案の審議はなかなかはかどらなかったが、全会員がはからずも一致した意見は、何が淳風美俗にかなわぬと言って親族間の訴訟ざたほど甚しいものはあるまい、ということであった。すなわち、「血で血を洗う」争いをイキナリ法廷に持ち出し、夫婦・親子・兄弟姉妹その他切っても切れない親類同士が原告の被告のと権利義務の法律戦で三本勝負をすることは、いかにも殺風景千万、かつは義理人情に反し、また裁判公開の当然の結果として暗闇の恥が明るみに持ち出されることは、一家一族の迷惑はもとより、社会の風紀上もおもしろからず、さりとてそれがいやさに家庭の不和が泣寝入となりまたは内攻することは、当人たちの不幸のみならず、家族制度そのもののためにもよろしくないゆえ、最後に本式の公開裁判に持ち出すことは憲法上妨げえないにしても、何か一種の特別調停審判機関を設け、法律ずくめでなく「道義ニ基キ温情ヲ以テ」親族・相続に関する家庭人事の事件を非公開懇談式に円満解決することにしたい、との考案を議決答申したのであった。

この考案はその時には実現に至らなかったが、それがキッカケになって大正十一年に「借地借家調停法」が採用され、判事を主任とし非法律家の委員二名を加えた調停委員会に、地主・家主対借地人・借家人の紛争を解決させることにした。そして、大正十二年九月の関東大震災後の住宅問題解決にこの制度の効用が発揮されたのに気をよくして、小作調停法・商事調停法・労働争議調停法・金銭債務臨時調停法と続々制定され、そして昭和十七年からは、民事事件一般について調停が行われるまでになった。そこで昭和二十六年、従来の各種調停法を廃し民事調停法一本に整理統一した。

さて和解・仲裁・調停ということになると、法律と義理人情とが明白に握手するのであって、それが結局本当のところと思う。国家・社会・人生のための法律なのだから、法律の励行が国家生活・社会生活それ自身の要求であると同時に、「法律一点張り」はまた法律の真精神でない。漱石先生は「草枕」に『智に働けば角《かど》が立つ。情に棹《さお》させば流される。』と言った。もし法律を通して義理人情にさかのぼり、義理人情に基づいて法律を活かすならば、あるいは、角立たずまた流されない理想の極致に達しうるであろうか。

家庭裁判所　ところで、調停制度の本家本元なるかの家庭事件解決のための特別機関の方はその後どうなったか。政府は審議会の答申意見を採用して、「家事審判所」なるものを設けることとし、その法案は一応作られたのであったが、関係法令の整備やら予算の都合やらで延び延びになっていたところ、昭和十四年に至って「人事調停法」が成立し、最初の考案の半分がモノになった。そして、昭和二十二年の民法改正の一翼として「家事審判法」が制定され、宿望の「家事審判所」が昭和二十三年一月一日から発足したのである。この法律の第一条は前に出したが、「家庭の平和と健全な親族共同生活の維持」という大看板が掲げられ、他方、民法第四編・第五編の今まで「裁判所」とあった箇所の大部分が「家事審判所」と書きかえられて、家庭に関する事件の審判と調停とが全面的に実施され、新しい親族法・相続法は家事審判所を第一線として運用されることになったのである。

ところでこの家事審判所は地方裁判所の支部ということになっていたが、裁判所法の改正によって、地方裁判所と同格の「家庭裁判所」が昭和二十四年一月一日から開設され、今までの家事審判所がその「家事審判部」となり、大正十一年の「少年法」によって設けられていた「少年審判所」をその「少年審判部」として、平行連繋しつつ運営されることになった。同時に改正された少年法の第一条は前に挙げたが、不和の家庭は不良少年の温床だから、この両審判所の統合はすこぶる時宜に適したことだ。民事・刑事の握手という面から観ても、家庭問題の綜合的善処という面から考えても、まことに結構なことだが、ここに一つ注意を要するのは、「裁判所」という名前である。元来「少年審判所」と言い「家事審判所」と称したのは、心有って「裁判所」という名を避けたのだが、今度それが「裁判所」となったのは、やはりそういう資格を附けないと憲法上十分な活動ができないためであろう。なるほどそれももっともなことだが、一方では裁判所らしい「にらみ」をきかせつつ、他方にはいっそう裁判所らしからざる温か味・柔か味を持つことに特に心を用いてほしい。家庭裁判所は言わば「家庭法律病院」で、家事審判部は内科・婦人科、少年審判部は外科・小児科、というふうに考えたらどんなものだろうか。

法律と制裁　法律には普通に制裁がある。犯罪者に科せられる刑罰はすなわち制裁であるが、不法行為者が損害賠償責任を負わされること、またある行為が法律の定めた要件にかなわないためその効力を生じないことなども、法律の制裁と言ってよかろう。

かくして法律には制裁が附き物のように考えられ、法律には制裁有り道徳には制裁無しと、制裁の有無が法律・道徳の区別の一標準のように言われてきた。しかしそれは必ずしも正確でなく、キッパリした区別の標準にならない。道徳に背いた行いをした場合には、ただ良心の苛責があるのみだというが、もしそうとするならば、その苛責さえ感じないほど良心のしびれた人に出会っては、道徳は権威のないものになってしまう。道徳違反に対しては社会的制裁がある。すなわち社会がそれを爪はじきし世間の評判が悪くなることが社会生活上の制裁であって、時にはそれが具体的な形にあらわれる。前に姦通罪廃止のことを言ったが、今までのような妻のみ責めて夫をとがめない片手落ちの法律よりも、夫婦相互の道徳的責任と社会的制裁にゆだねる方が社会風教に益がありそうなことだ。英国の知名有力な一政治家が姦通行為のため一朝にして政治的・社会的生命を失ったという実例があるが、そういう道徳的制裁の強い社会になってもらいたいものだ。要するに法律違反に対しては法律的制裁のあるのが普通だが、制裁の無い法律もありうるのであって、制裁がないから法律でないとは言いえない。早い話が憲法だ。憲法違反に対する制裁は憲法中には規定されておらず、また他の法律中にも何らの制裁をも見出しえない数々の違反行為があるが、それにもかかわらず憲法は最も権威のある法律であり、かえって法律的制裁がないだけに憲法違反に対する道徳的責任はいっそう重大であって、逆に憲法の権威は区々たる法律的制裁無きところに存する、とも言いえよう。

かくして制裁は法律の絶対要素ではないけれども、法律である以上その違反に対する具体的の制裁を規定してあるのが普通であり、制裁が規定してある以上、それが飾り物であってはならず、犯す者は必ず罰するのが当然であろう。しかし制裁は、刑罰の場合にも、単に違反者に対する懲らしめ、被害者に対する慰め、世間に対する見せしめだけであってはならず、常に違反者に対しまた一般に対する教育的効果が考えられねばならぬ。ロンドンの美術館テート・ギャラリーに、かの有名なアフリカ探険家の夫人なるレィデー・スタンレーえがくところの名画がある。法廷へ引き出されて取り調べられている一少年を正面七分身の大写し式にかいてある。そのオドオドした態度や顔面表情が実によくかけているが、画そのもの以上の傑作は「かれの第一の犯罪」(ヒズ・ファースト・オフェンス)という　その画題だ。すなわち、いずれカッパライぐらいであろうこの少年の「第一の犯罪」をかようにおとなに対する同一方法で裁判しまた処罰すると、それが機縁となって「第二の犯罪」「第三の犯罪」と累進させ、ついにりっぱな常習犯人を作り上げることになるぞよと、画とその画題とによって当時の裁判組織・監獄制度に抗議したのであって、1895という年号のはいっているこの画が、結局少年審判制度の誘因になったのである。

さらにさかのぼって、制裁によって法律を行おうとする考え方そのものが反省されねばならない。四十年近くも前の話だが、欧米諸国へ留学中、ドイツのハンブルグの公園の入口の大きな制札が目についた。それには、

『諸設備ヲ毀損シ、芝生ニ立入リ、池中ニテ遊泳シ、犬ヲ泳ガシメ、又ハ魚ヲ捕ルコトヲ禁ズ。犯ス者ハ百五十マーク以下ノ罰金又ハ六週間以下ノ禁錮ニ処セラルベシ。(一八九六年十一月二日行政法第九

年　月　日　　　　ハンブルグ警察署』

条、一九〇二年七月七日道路取締規則第四九条、第八一条、刑法第三七〇条）

と書いてあった。それからベルギーに行ったら、ブラッセルの公園には、

『この場所は公衆遊歩のため造られたもので、全市民の監督のもとに置かれる。』

という制札が立っていた。さてその後イギリスに渡ったが、ロンドンの公園には何の制札も立っていなかった。日本の公園には制札が立っていただろうか、制札にどんな文句が書いてあったろうか、そして「立入るべからず」の芝生の真中にねそべっている物臭太郎はいなかったろうか、「魚釣るべからず」の制札の前に悠然と糸を垂れている太公望はと、はるかに祖国を顧みたことであった。

しかしながらまた、寝よげに見ゆる若草に「立入るべからず」の制札を立て、これ見よがしに細鱗おどる堀池を殺生禁断にして、なぜはいっていけないか、どうして釣ってはならぬかを民衆に納得させることをつとめず、イキナリ「犯ス者ハ」とくるやり方こそ、いわゆる「民ヲ網スルモノ」で、正に封建的と申すべきだ。前に引いた孔子の言葉、『コレヲ道《ミチビ》クニ政《マツリゴト》ヲ以テシ、コレヲ斉《トトノ》ウルニ刑ヲ以テスレバ、民免レテ恥無シ。』は、当時の封建政治の積弊を痛撃したものであるが、今日の民主日本に在っても「公僕」たちの金科玉条たるべきだ。一方に法律万能の厳罰主義あれば、他方に脱法行為のあの手この手あり、「ソレ法律、ヤレ罰則」と言うから、「法律にさえ触れなければ」「罰金で済むことならば」ということになり、ことによったら「恥無シ」どころか「免レテ誇有リ」の甚しきに至るであろう。

これを要するに、法律は結局裁判によって適用され、強制執行によって実現され、制裁によって確保されるのであるが、しかし、判決によって処断され執行吏の手にかかって強制されなくては法律どおりを実行せず、制裁をまぬかれ法網をくぐって得々たるようになっては、何とも情ない次第である。願わくは法律がわれわれ自身の共同生活のための準則であることを十分に理解し、法律に従うことをわれわれの最小限度の道徳と考えたいものだ。「法律は行われるもの」だが、その「行われる」というのは必ずしも強圧や制裁を意味しない。『行われる法律は吹かざる風のごとし。』という言葉があるが、法律は風ではなくて空気である。空気は動いて風になった時ばかり存在理由があるのではなく、空気があると気がつかないほど動かずにいる時こそ、むしろ空気の本体であろう。法律とても、動いている時だけが法律ではなく、知らず識らずに法律が行われ守られているその平静の時こそ、最も理想的な法治の境地というべきである。『必ズヤ訟無カラシメンカ』を目標とし、『刑ハ無刑ヲ期ス』るのであって、訴訟や刑罰が法律の目的ではない。法律は戦々兢々として屈従せらるべきものではなく、最も自然にかつ自主的に、することとなすことおのずから法律にかなう、という悠悠自適天衣無縫の理想境まで行かねばならぬ。そこでわたしは、法律は「従」うものと言わずに、「守」るものと言いたい。

第六話　法律は守るもの

国民の遵法心

第五話の最初を「法律は行うもの」と起し、最後を「法律は守るもの」と結んだ。すなわち、一方には国家の権威のゆえに法律が行われ、他方には国民の遵法心のゆえに法律が守られるのであって、法律は「行」われるから「守」られ、「守」られるから「行」われるのである。そしてわたしは結局その後段に重きをおきたい。『神は人の敬うによって威を増す。』という言葉があるが、法律についても同じことが言えるのではなかろうか。そこで結論を、いかにして国民の遵法心を養うべきか、に持ってゆきたい。それはもはや法律の領分にあらず、ひとえに教育に待つのみ、と言ってしまえばそれだけの話だが、法律家としては遵法心の土台を国民の法律観念に求めねばならぬ。そこで再び「法律とは何か」という第一話の問題に立ちもどる。第一話では「法律の本質」という方面から説明したが、今度は、古来の人々殊に学者たちが法律をどう観念したか、という「法律思想」「法律学説」の方面から考えてみたい。ただし、法律思想・法律学説の発達・分派等を詳論するのは法理学の任務で、「やさしい法学通論」の管轄でないから、ここには、遵法心の土台としての法律観念、という大体論にとどめる。

古代の法律観念が、法律は神様からの授かり物、というところから始まったことは、前に語った。

この法律は神意であるという考え方が宗教的な国家・社会において遵法心の有力な土台であることは申すまでもないが、今日の社会においては、不信心な連中には通用しないであろうし、信心な人たちはすべての法律が神意であるとすることをいさぎよしとしないであろう。ともかくも、この「神授説」なるものは、今の遵法心とは関係がなさそうだ。

国家命令説　わが国民の遵法心の土台は、憲法改正を境界として一変した、あるいは一変すべきものだ、と言ってよかろう。旧憲法下における、特に明治後半期の法律学説としては、いわゆる「国家命令説」が通説であった。社会組織が拡大充実して国家が形造られ、殊に皇帝・国王など君主の権威が強大になるとともに、法律は君主の命令なり、という考え方が起るのは当然である。中にも「ユスティニアヌス法典」とか「ナポレオン法典」とか英雄・帝王の名を冠した法律となると、自他共に「勅定法」の観念が強い。もっともフランス民法典が出た時にはナポレオンは第一統領だったのだが、その直後に皇帝となったのであって、実質上勅定法に相違なく、ナポレオン自身はこれを「モン・コード」（わが法典）と自負し、国民は「コード・ナポレオン」と押し戴いたのである。そしてナポレオンが倒れて旧王朝が復活したのちもこの法典は生き残ったのであって、ナポレオンはセント・ヘレナ島の配所において、おれの百戦百勝もウォータールーの一敗で地にまみれ去り、ただ一つ残ったのはモン・コードのみ、と感慨無量だったというが、残ったどころではない、ナポレオンを不死ならしめたものはフランス民法なのである。そして、法律は君主の命令なりとする考え方は、東洋諸国では古来の伝統だが、明治憲法は明白にその観念を採用し、「大権命令」なる勅令はもとより、憲法上のいわゆる「法律」も、前に言ったように、天皇により裁可され天皇の名で公布されるものとしたのである。新憲法でも天皇は「憲法改正、法律、政令及び条約を公布する」（七条一号）ことになっているが、これは、既に成立した法律を公示する「国の象徴」としての行為であって、旧憲法の「天皇ハ法律ヲ裁可シ其ノ公布及執行ヲ命ス」（六条）るのとは全く意味がちがうのである。

ところでこの観念が法律学説としては「国家命令説」であって、わが国でもこれが明治大正法律学の主流だったが、元来「法律ハ国家ノ命令」という定義は、発達した法治国の成文法には当てはまるけれども、完全に法律そのものの概念を尽さないのみならず、そもそも問をもって問に答えるもので、本当の定義になっていない。そして、国家なり君主なりは法律をもってすれば何事をでも命令しえざるなし、というふうな例の「法律万能」的錯覚を起しそうでおもしろからず、また「勅なればいともかしこし」「国家の至上命令だから」というだけでは、結局「いやいやながら」ということともなって、現在および将来の国民の遵法心を十分裏附けるに足りない。

神人契約
君民契約

法律は神慮・天意なりとしあるいは勅定・国命なりとする観念と対立するものが、法律は国民個人間の社会契約だとする考え方である。元来、契約観念は西洋では相当に昔からの話だ。わが国旧来の国体観念と西洋の国体観念との一相違点は、わが国には国家と法律とを契約なりとする観念がなく、これに反して西洋キリスト教諸国の国家思想は当初から契約観念だったことである。そもそもキリスト教は契約宗教であって、「旧約」「新約」は「古い契約」「新しい契約」なのである。その旧約聖書にあらわれているユダヤ人の国家思想・法律観念は、神と人との契約ということから出発する。人は、ほかの神をおがまないことや神のみむねに従うことなどを約束し、神は人を保護指導することを約束するのであって、人類の先祖は代々繰り返して神と契約を結んでいるが、ややもするとその契約を忘れて偶像を崇拝したりするので、神の怒りに触れて滅ぼされ、契約を遵守したノアの一族だけが、神の警戒警報により箱船を造って大洪水の難をまぬかれた、ということになっている。そして、ユダヤの律法《おきて》の根本憲法とでもいうべき「十誡」を神が二枚の石の板に指でなぞって書きあらわしたのが「契約の板」、それをモーゼが拝受して大切に箱におさめたのが「契約の櫃」、これがユダヤ人の守り本尊で、戦争のときにもこの櫃をかついで行けば勝ち、つい忘れて行くと負ける、というようなわけで、「契約」という言葉は聖書の中にうるさいほど出てくる。

その古代の契約は「神人契約」だが、政教分離後の中世封建国家においては、その考えが一転して、君主と臣民との契約、という観念になった。すなわち「君民契約」であって、国王は臣民に対して善政を約せるがゆえに、悪政があれば契約違反として放伐され、臣民は国王に対して服従を約せるがゆえに、国王の法律に背けば契約違反として処罰されたのである。

社会契約説　しかるにさらに近代に至り、君民契約観念は一転して、国家および法律を人民相互の契約すなわち「人民契約」なりとする思想となった。その思想の代表的学者は、イギリスのジョン・ロック（一六三二―一七〇四）とスイスのジャン・ジャック・ルソー（一七一二―一七七八）とであるが、しかしこの「契約説」は必ずしもロックやルソーの新発明ではなくて、その前にオランダのフーゴー・グロチウス（一五八三―一六四五）とイギリスのトマス・ホッブス（一五八八―一六七九）の契約理論がある。

グロチウスは人類の社交性を高調し、自らを愛するとともに他をも愛する人類の天性はこれを駆って自然状態から国家状態に移らせるものであるが、その国家状態形成の唯一の方法は人類の相互契約である、と論じた。グロチウスは「国際法の父」であるが、国際法ということになるとどうしても、国家命令説では割り切れず、法律は契約なり、という観念に基づかざるをえないのである。

ホッブスは、これとは正反対に、人類の非社交性から出発し、人性は悪であって一人の自愛心は他人の自愛心と衝突し、人類相互の関係は平和・親愛ではなくて猜疑・恐怖であり、「人ノ人ニオケルヤ豺狼」である。そして自然状態においては各人平等・万物共通であるから、「各人対各人ノ戦争」をまぬかれない。しかしそれでは、各人はすべての物に対して権利を有しその実すべての物に対して権利を有しないこととなり、生を無上善とし死を最大悪とする自愛利己の人性にかなわないから、人類はこの戦争状態を去って治安状態に移らんことを欲し、契約によって各人固有の自由の全部をある一人または数人に譲り渡して国家を形成するに至る、と論じた。ホッブスは後世から「最も論理的にして最も矛盾的な思想家」と批評されたが、なるほどその気味がある。もし人類が社会生活をいとなみ国家を成すべき性質を固有するならば、特に契約のような相談はいらないはずで、グロチウスの社交性説はむしろ国家自然発達説の前提になりそうである。これに反して、もし人類は社会を成すべき性質を固有せずと仮定すれば、国家の建設にはどうしても契約がなくてはならぬことになる。この点においてホッブスは論理的だ。ところでホッブスによれば、契約による個人の自由の譲渡しは絶対的であり、従ってこれによって生ずる国家主権者の権力も絶対的であり、国民の国法遵守の義務も絶対的である。ホッブスは、国家は人類自己保存性の要求によって形成されたものだから国家の支配が絶対専制であるだけそれだけ人類自保の目的にかなう、というので専制君主制を礼讃する。すなわち、各個人の意思に出発して一意思の専制に到達し、結局法律は主権者が任意に命ずるところだという国家命令説に帰着するのであって、ここがいわゆるホッブスの矛盾である。

そこで、個人自由・天賦人権の近代思想を基調とするロックおよびルソーの社会契約説は、ホッブスの矛盾に陥らないように苦心した。そして、社会契約はいったん結ばれたらそれで固定するのではなく、各個人ごとに更新されつつある、という考え方を採った。理論構成のくわしいことは略するが、こういう考えを押しつめてゆくと、国家そのものも三十年ごとに更新する、というような苦しい議論をしなければならないことになり、『国家を馬より短命ならしめる。』と皮肉られるようなわけで、理論上はいろいろと欠陥があるし、また契約による国家および法律の発生が歴史的事実であるというふうに聞える説明に対しては、有力な非難がある。そこでカントは、社会契約説は事実論にあらずして観念論なりとし、かく観念せずしては国家および法律を正当づけえない、と論じた。

契約国家　かように、法理論としてまた歴史論としては問題を残しつつも、社会契約思想殊に一七六二年のルソーの著書がついに天下を風靡したのは、その名文麗筆の力でもあろうが、キリスト教的契約観念が古来久しく行きわたって素地《したじ》を作っていたからだ、とも言いうるであろうか。ルソーの著書の原名は「社会契約論」（デュ・コントラ・ソシアール）だが、漢訳名「民約論」の方がむしろ実質に適切であろう。そしてこの人民契約観念の政治的実現は一七八九年八月二十六日フランス革命の「人権宣言」であって、人は生れながらにして天賦の自由を有しその社会関係はことごとくこの自由に基づく契約によって決定せらるべきもの、ということが法律思想として確立されるに至った。なるほどフランス革命の旗じるしたる「自由・平等・友愛」に契約観念はピッタリ当てはまるのであって、各個人の対等とその意思の自由とを害しないで人と人との間の円満な関係を設定しうるのは、契約のほかありえないのである。

さて、ロックやルソーの社会契約説は歴史的事実でないと言ったが、ここに一つ、契約によって設立された国家がある。それは一七八七年の憲法によって成立した北米合衆国であって、その憲法は正しく契約である。もっともこれは、社会契約説の証拠たるべき歴史的事実と言わんよりは、むしろフランス革命と同じく社会契約思想の影響実現と見るべきだが、しかし、今日のアメリカ国民の第一世なるイギリスの清教徒たちが祖国を見捨てて新大陸に渡った時一六二〇年十一月十一日メーフラワー号の甲板上で結んだ契約がアメリカ建国のそもそもの発端であることを思えば、アメリカは元来契約国家たるべく運命づけられていたのである。

新憲法はわれらの契約　わが国には元来、国家は契約だとする観念がなかったようだ。明治二十二年の「大日本帝国憲法」は、「皇祖皇宗ノ後裔ニ貽シタマヘル統治ノ洪範」と発布の際の「告文」にうたわれ、形式上もドイツ式の命令憲法であったが、昭和二十一年の「日本国憲法」はアメリカ式の契約憲法であること、

『日本国民は、正当に選挙された国会における代表者を通じて行動し、……ここに主権が国民に存することを宣言し、この憲法を確定する。そもそも国政は、国民の厳粛な信託によるものであって、その権威は国民に由来し、その権力は国民の代表者がこれを行使し、その福利は国民がこれを享受する。これは人類普遍の原理であり、この憲法は、かかる原理に基くものである。』

と起し、

『日本国民は、国家の名誉にかけ、全力をあげてこの崇高な理想と目的を達成することを誓ふ。』

と結んだその「前文」によって明かである。すなわち日本国憲法は全国民の契約によって成立したのであって、わが国もまた民約思想を人類普遍の原理としてここに契約国家の列に加わったのである。従って、この憲法下に作られる法律はすべて国民相互の契約であって、憲法は、

『国会は、国権の最高機関であって、国の唯一の立法機関である。』（四一条）

『国会は、衆議院及び参議院の両議院でこれを構成する。』（四二条）

『両議院は、全国民を代表する選挙された議員でこれを組織する。』（四三条）

『法律案は、……両議院で可決したとき法律となる。』（五九条）

と規定した。明治憲法においては、議会は法律案を議決しその法律案が天皇の裁可を待って法律になるのであったが、昭和憲法は、法律は国会の議決によって直ちに成立するものとした。そしてその議決は「全国民を代表する」議員によって行われ、それが「国の唯一の立法」なのであるから、われわれ日本国民は昭和二十二年五月三日以降、憲法と法律はわれらの契約、と観念することになったのであり、そしてわが国が契約国家として更新されたのである。

アワー・カントリー

わたしは今「わが国」と言った。日本語は単数・複数の区別がハッキリしてないが、この「わが」はもちろん単数ではなくて複数である。わたしは第一次世界大戦の時イギリスにいたが、その際特別に耳にひびいたのは「アワー」という言葉であった。「アワー・カントリー」「アワー・キング」「アワー・ネーヴィー」「アワー・アーミー」――「われわれの国」「われわれの王様」「われわれの海軍」「われわれの陸軍」――その「われわれ」が特に力強く発音されるように感じた。自分たちの国家だ、自分たちの戦争だ、この「われわれ」という力強い自覚が第一次大戦の英国を勝たせたのである。第二次世界大戦の勝利も、恐らくはこの「われわれ」という力強い自覚がその根本だったのではなかったろうか。ここにおいて「わが国」も、契約国家になった以上、「わが国」ではなくて「われわれの国」でなくてはならぬ。単数の「われ」ではなくて、複数の「われわれ」であることを、この「われわれ」が十分に認識自覚するとき、新しい「契約憲法」によって更生した新しい「契約日本」が本当の「アワー・カントリー」になるのである。

契約はそれを結ぶときに十分念を入れねばならぬ。そして実情に適しなければ契約を結び直すこともできよう。しかし契約として有効である以上、自分に都合が悪いからとて勝手にこれを破ることは、その契約に対する違反・不履行であるのみならず、契約全体の信用と権威に対する侵害であって、それでは人類社会は存続しえない。そして、契約の締結を代理人に信託した以上、本人たるもの、そんな契約をしたとは知らなかった、と逃げるわけにはゆかない。もう一度憲法の「前文」を振りかえると、『日本国民は、正当に選挙された国会における代表者を通じ……』とある。代表者を通じてした契約は、だれの契約でもない、自分の契約だ。自分の契約であるからには、代表者にまかせ切りでめくら判を押し、どんなものができあがったのか知らなくてもよいものだろうか。せめて根本契約たる憲法ぐらいは一読せねばならぬのはもちろん、自分はこういう契約をしているのであるということを忘れないように、おりにふれては契約書を読み返すべきだ。本人は、代理人にまかせ切りにせずに、不断に契約の進行と結果とに注意して適当に代理人を監督指揮すべく、代理人は、常に本人の意思・希望を尊重して、怠ることなく契約の経過と成績とを報告すべきである。

かくしてこの契約理論はそっくりそのまま法律観念に当てはまる。法律がわれわれの契約だということは、従来のわが国の歴史的事実ではなかった。今日としてもまだそれは十分の現実になっていない。しかしカントの言った通り、われわれ相互の契約と観念せずしては、今日以後の法律を理解し活用しまた発達させえない。かくして国民の遵法心の中心は契約観念たるべきだ。われわれがわれわれ自身の契約として法律を「守」ることによって、法律ははじめて「行」われうるのである。

「権理」と「権利」

法律が「守」られるためには、権利義務が正しく観念されねばならない。普通に『権利トハ法律ニヨリテ保護セラレタル利益ナリ。』と定義する。すなわち「利益主義」であるが、この「権利」という言葉がわが国で普通に用いられるようになったのは、さほど古いことではない。だいたい明治初年からのことだが、当初は「権理」と書いたものだ。明治六年の太政官布告にそう書いてあることは前に言ったが、亡父穂積陳重が明治九年二十一歳の時の論文にも、

『彼の文明諸国の法律を設くるの意、全く其国民の身体・自由・財産の三権を保護するに出でず。而して其権理を保護せんと欲せば……』

と書いてある。さらに、法律文だけでなく一般にそう書かれたものと見え、旧約聖書申命記第一七章八に『権理を相争う』とあるが、旧約聖書は明治十一年から二十一年までの間に邦訳されたものである。すなわち明治初年には「権理」と書いたのが、その後いつとはなしに「権利」とのみ書かれるようになり、「権理」という書き方はすたれてしまった。どっちがどうということもないが、「権」は「ハカリ」だから、ハカリにかけて「利」を取るか「理」を取るか、利益主義めいた「権利」よりも道徳主義らしい「権理」の方が適当ではなかったろうかと、惜しいような気持もする。英の「ライト」も独の「レヒト」も仏の「ドロア」も、いずれも「正しい」という言葉で、利益という意味ではないのだ。要するに、文字はともかく、権利が単に自己の利益を主張するだけでなく、道理正しいところを主張することでありたいと同時に、法律も、単に物質上の利益を保護するだけでなく、道徳を保護す

るものでありたい。

権利義務の先後

さて「権利義務」と一口に言うが、権利と義務とどっちが先だろうか。元来、規範なるものは、ああしてはいけない、こうせねばならぬ、という行為の準則だから、まずもって義務の規定である。社会生活規範と社会生活上の義務とは、裏と表であって、同一現象の客観と主観だと言ってよい。そして、社会生活規範が前に述べたような経過で法律規範となるとともに、社会的義務は法律義務になるのだが、その履行に対する要求が一段の強さと確さを加えるという程度の差があるだけで、義務そのものの性質には変りがない。ところが権利ということになると、規範の必然的要素ではなく、権利をともなわないのがむしろ規範の本来の姿と言ってよい。道徳規範のごときは正にそれであって、すなわち道徳は義務の規定である。孝行は子の義務であって、親の権利ではない。親は子に孝養してもらう「道徳上の権利」（モーラル・ライト）がある、というようなことも言わないではないが、それは相手方の義務履行に対する希望・期待を言うに過ぎず、ひっきょう実現手段のない利益の単なる主張にほかならぬ。この利益の主張を法律が担保する——「あとおし」をする——ということになって、はじめて権利が生ずるのだ。すなわち、法律が物質的親孝行の最小限度を取り上げて「扶養」という制度を設定すると、そこにはじめて「親が子に対して扶養を請求する権利」というものが発生するのである。そして、法律上の権利ということになると、単に利益を主張するのみでなく、その主張にかなうような物の支配とか、相手方の行為・不行為——あることを為さしめまた為さしめぬこと——とか、ある関係の維持または変更とかを必然的に要求することができ、とどのつまりは国家権力による規範の実現を促してその利益の主張の貫徹を期しうるのである。従って利益の主張は法律の承認・担保によってすこぶる重大な性質上の変化を受けるのであって、法律の「あとおし」「うらづけ」を持たない単純な利益の主張と法律上の権利との間には、顕著な一段階があるのである。

社会進化史・法律発達史から見ても、権利なるものは、憲法のいわゆる「基本的人権」でさえも、観念上はともかく実際の生活においては、「法治」すなわち秩序的な法律生活の産物として発生発達するのである。人類社会の進化の過程として団体がだんだんと凝固するに当って、まず第一に生ずるのは義務の観念である。そして社会の中心力殊に国家権力がこの義務を強要するによって法律が発生発達するのだ、ということは前に語った通りであって、法律はまず義務本位として発生発達するのである。そして最初に発生発達するのは社会の中心力たる最高権力に対する服従の義務であって、その服従の結果としてさらに同団体員たる他人に対する法律上の義務が確定する。『借りた金は払え。』と国家が命ずるので、国家の命令に対する服従として金を払うのだが、それがやがて相手方たる貸主に対する法律上の義務ということになる。そしてこの同団体員に対する義務の結果として権利の観念がだんだんと発達し、法律も「金を貸した者はそれを取り立てうる」という方面から規定されるようになったのだが、そのうちに個人がますます発展充実して最高権力と対抗する形となり、国家主権に対する個人の権利の保障が主張されるに至ったのが、フランス革命前後の思潮である。すなわち、法律の結果発生した権利の尊重が高調されて、権利を当初からの存在と主張するいわゆる「天賦人権」の思想となり、法律が急に義務規定から権利規定に進展することとなったのである。

権利義務は手段か目的か

ここにおいて現代の法律は原則として「何々することをうる」という形に規定されることになったのであるが、それは殊にわれわれの私的生活の規定たる民法においていちじるしい。すなわち、「盗むなかれ」「欺くなかれ」という道徳訓が法律上の義務となるに及んで、刑法の盗罪・詐欺罪および民法の物権・債権を生じたのであって、義務あって権利がはじめて生じ、権利が生じて義務がますます重くなるのである。従って権利と義務とは大体において相対応しているのであるから、同一法律関係を権利の方面からも義務の方面からも規定しうるはずであるが、民法は主として権利の方面から規定された。元来、法律が義務本位から権利本位に進むのは法律進化の趨勢であって、諸国が盛んに民法典を立法した十八世紀末から十九世紀にかけてちょうど権利思想勃興時代であったし、かつ民法の内容たるべき法則は最も権利本位の規定に適するから、民法が権利本位に規定されたのはさもあるべき現象である。しかし民法の内容とても必ずしも直接に権利を与え義務を負わせる規定とのみは限らない。権利義務は法律の全部でなく、また法律が義務を強要し権利を担保するのは、義務の強要または権利の担保そのものをもって終局の目的とするのではない。その終局目的はすなわち社会生活の利益の保護促進でなくてはならぬ。たとえば「借地法」「借家法」は、地主・家主を保護するのでもなく、借地人・借家人を保護するのでもなく、借地借家関係そのものを保護しようというのである。地主・家主の保護に偏することが、借地人・借家人の不利益であることはもちろんだが、借地人・借家人の保護が過ぎると、地主・家主が警戒して土地・家屋を借さぬようになり、または地代・家賃・敷金等を高くしたり、権利金などという法律にない金を取ったりするから、かえって借地人・借家人の利益にならないのであって、結局、借地借家関係そのものの保護が目的とされねばならぬ。すなわち、「債務法」から「債権法」に転じさらに「債権債務関係法」に進むのであって、法律は、義務本位たるべきでなく、権利本位たるべきでなく、社会本位・共同生活本位たるをもって理想とすべきである。しかし理想は一躍して達すべきでない。個人不自覚時代には法律は義務本位であった。個人自覚時代に及んで法律は権利本位に進んだ。現行の諸法律はその段階だと言ってよかろうが、進んで社会自覚時代になると、法律は社会本位たるべきである。この第三期はすでに始まっているはずだから、法律そのものは権利本位に規定されていても、法律の今後の解釈・適用は、社会本位でなくてはならないのである。

ところで社会本位思想の結果は、直ちに権利の行使についてあらわれる。今まで権利の行使というのは、権利者がその権利にもとづいてその権利の内容たる利益の実現のための行為をすることであった。たとえば民法（二〇六条）に『所有者ハ法令ノ制限内ニ於テ自由ニ其所有物ノ使用、収益及ヒ処分ヲ為ス権利ヲ有ス』とあるのは、所有権の行使に関する規定である。そして、右の法文に見える通り、「法令ノ制限内ニ於テ」という留保はあるけれども、権利者は原則として「自由ニ」その権利を行使しうるのであり、また権利を行使しないことも自由である、権利は自由であり、義務は拘束である、権利は利益であり、義務は苦痛である、権利と義務とは相対応するが、互いに相容れない、権利は権利にして義務にあらず、義務は義務にして権利にあらず、これが従来の通念であった。しかしこの権利義務対立観念は、法律の内容が社会本位・共同生活本位になると、ある程度是正されざるをえなくなるのである。

親権は親義務

この点についてまず第一に問題になるのは「親権」である。親権すなわち親が子殊に未成年の子に対する権利は、当初はやはり所有権のような財産権的な考え方で、子は親のものだから煮て食おうと焼いて食おうと親の勝手だ、ということだったに相違ない。親子心中の家庭悲劇が三日にあげず新聞種になるのは、まことに痛ましい限りで、その情はまことにあわれむべきだが、わが子だからあの世までもだいて行こうというのは、正に子を所有物視するものであって、「個人の尊厳」と「基本的人権」を重んずる新憲法下に許さるべきところでないこと、第五話に出した判決文にも力説されている。今日の法律は、新憲法を待つまでもなく、親権を所有権視するようなことはないのだが、民法が改正されて今までは父親本位だった親権が「父母共同親権」という当然そうなくてはならないことになったについても、この根本観念をシッカリとつかまなくてはいけない。

ところで従来の法律書は普通に、親権は親が子を支配する権利、と説明してきた。しかし、この「支配」という言葉も新憲法下ではおもしろくないので、イッソ砕けて「子の世話をする権利」と言った方がよかろう。ところで「世話をする」ということになると、以前のように「親の利益のための親権」ではなくて「子の利益のための親権」であり、もはや「権利」と言わんよりはむしろ「義務」

である。そこでわたしは「親義務」という言葉を使う。これに対して抗議が出そうだ。子を育てるのが親の義務だということになると、子が権利者になる、育ててもらうのはわれわれの権利だ、われらはわれらの権利を要求する、かれらはかれらの義務を尽すのみ、何ぞ感謝するを要せんや、と子が言うようになっては大変だ、こう言って心配する人もあろう。しかしそれがそもそも、一方が義務者ならば他方は権利者、というとらわれた考え方で、そう限ったことはない。子を育てる親の義務は、子に対する義務ではなく、従って子が権利者ではない。親の義務はむしろ国家・社会・人類に対する義務であって、国家・社会・人類がわれわれに対して、お前の子を心身ともに親まさりに育て上げて次のジェネレーションを向上発展せしめよ、と要求するのである。そして、権利は利益なり、義務は苦痛なり負担なり、と普通に言うが、子を育てる親の義務は必ずしも苦痛・負担ではない。なるほど物質上の負担もあろう精神上の苦労も多かろうが、親にとってはぜひ負いたい負担であり、しがいのある苦労である。他人へのあいさつとしては、どうも子供が大勢で世話がやけて困ります、金がかかってやりきれません、などと言いもしようが、それを真に受けて、そんなにお困りならば二三人こちらへよこしなさい、育てて上げましょう、とでも言おうものなら、とんでもない、これはわたしの子だからわたしが育てます、余計な口出し手出しはしないでください、と言うだろう。言い換えれば、親をして親たる義務を行わしめよ、と要求するのが親権であって、すなわち親権は「義務を行う権利」である。さらにまた、親権者は子を養育せねばならぬのであって、権利者だから権利を行うも行わぬも勝手だ、と親権を放棄するわけにはゆかない。それゆえ親権は「権利を行う義務」である。民法に

『親権を行う者は、子の監護及び教育をする権利を有し、義務を負う。』（八二〇条）とあるのはその意味と解したい。

勤労と選挙と納税　この、権利にして義務、義務にして権利、ということは、親権のような一種特別の権利に限る現象なのだろうか。結局それが権利義務の本質なのではあるまいか。新憲法では新たに勤労の権利義務を規定したが、『すべて国民は、勤労の権利を有し、義務を負ふ。』（二七条）という法文は、民法親権の規定と同型であって、同じく「義務を行う権利」「権利を行う義務」と言えそうだ。

憲法の規定した国民の権利のうち、「義務を行う権利」「権利を行う義務」の標本とも言うべきものは、選挙権である。従来これを権利とばかり考えていたものだから、権利者が権利を放棄するのに何のさしつかえがあるか、という棄権論がもっともらしく唱えられ、売るの買うのという考えも起ったのだ。しかしながら、もし、選挙権は国民が国民としての名誉ある義務を行う権利であり、従ってその権利をその目的にかなうように行う義務である、ということに当初からなっていたら、選挙粛正の棄権防止のと騒がないでも済むはずである。

さらにまた納税については、憲法は『国民は、……納税の義務を負ふ。』（三〇条）と規定し、ここではまだ「納税の権利」とまで規定され観念されるに至っていない。しかしながら、税制と徴税方法とが適正にして穏当なものになり、今日の租税は封建時代の年貢のように「取られる」ものではなくて「納める」ものだ、ということが十分理解されるようになったら、納税もまた「国民としての名誉ある義務を行う権利」ということになるかも知れず、そうならなくては本当でない。

ユダヤ人の土地観念

さてその他の権利も多かれ少かれ同様の性質をもつのではあるまいかと思うが、一足飛びに、最も普通の権利たる所有権について考えてみよう。所有権こそ絶対無限の権利で、行使も不行使も自由と考えられているのだが、果して元来そういうものなのであろうか。殊に、土地という、人生に最も重要にしてしかも有限な財産について、たとい所有権者なりとも、使うも勝手・使わぬも勝手、ということが言えるだろうか。ここで一つ旧約聖書にあらわれたユダヤ人の土地所有観念を引合に出したい。ユダヤ人と言うとすぐにシャイロックを思い出すが、旧約聖書ではユダヤ人すなわちイスラエル人はさような我利我利亡者ではなかったことになっている。イスラエル人の土地所有観念の根本は、土地はエホバ神からの賜物、という考え方であって、それが旧約聖書の到る所にうるさいまで繰り返されている。すなわち、神はイスラエル民族のために「乳と蜜との流るるカナンの地」を指定したのであるが、その土地を民族の各支流の所属、そしてさらに各個人の所有に具体化するには、籤引の方法によったことになっている。抽籤が当時において神慮をうかがう方法だったのは言うまでもないことで、『人は籤を引く、されど事をさだむるは全くエホバなり。』とある。かように各人は神慮によって土地を与えられたのであるから、土地所有権その他およそ財産権の基礎観念は感謝でなくてはならないのであって、

『汝の神エホバにその美地《よきち》を己にたまひし事を謝すべし。』

『汝我《わが》力とわが手の動作《はたらき》によりて我《われ》この資財《たから》を得たりと心に謂《いふ》なかれ。汝の神ヱホバを憶《おぼ》えよ。其《そ》はヱホバ汝に資財を得《う》るの力をたまふなればなり。』

とある。そこで、かく感謝をもって土地を所有すべきであるから、おれの所有地に出来た物は草一本麦一粒たりとも他人《ひと》に指もささせないというような独占的な考えを持ってはならぬ、ということになるのであって、

『汝らの地の穀物を獲《かる》ときには、汝等その田野《たはた》の隅々までを尽《ことごと》く獲可《かるべか》らず。亦汝の獲物の遺穂《おちぼ》を拾ふべからず。また汝の果樹園《くだものばたけ》の 果《くだもの》を取りつくすべからず。また汝の果樹園に落《おち》たる果を歛《あつ》むべからず。貧《まずしき》者《もの》と旅客《たびびと》のためにこれを遺《のこ》しおくべし。』

『汝の田野《たはた》にて穀物を刈る時、もしその一束《ひとたば》を田野に忘れおきたらば返りてこれを取《とる》べからず。他国《よそぐに》の人と孤子《みなしご》と寡婦《やもめ》とにこれを取《とら》すべし。……汝橄欖を打落す時は再びその枝をさがすべからず。その遺《のこ》れる者を他国の人と孤子と寡婦とにこれを取《とら》すべし。また葡萄園《ぶだうばたけ》の葡萄を摘《つみ》とる時はその遺れる者を再びさがすべからず。他国の人と孤子と寡婦とにこれを取《とら》すべし。』

『汝の隣の葡萄園に至るとき、汝意《こころ》にまかせてその葡萄を飽《あく》まで食ふも宜し。然《され》ど器《うつは》の中に取《とり》いるべからず。また汝の隣の麦圃《ばたけ》にいたる時、汝手にてその葡萄を摘食《つみくら》ふも宜し。然《され》ど汝の隣の麦圃に鎌をいるべからず。』

というようなわけである。この最後の一段によると土地所有権の無視を是認したように見えるが、それは土地所有者に対して寛容を命じたのであって、各人に対しては他人の土地所有権を尊重すべきこ

とを厳命している。それは、土地の境界が神慮によって定まったものとする当然の結論であって、『隣の地界《ちざかい》を侵す者は詛《のろ》はるべし。』とある。今の人ならのろわれるぐらい平気の平左だろうが、古代の宗教社会にあっては「のろわれる」というのは致命的の制裁である。要するに土地は神様からの「授かり物」なのであるが、しかし神は土地を永久に人に与えたのではなく、根本的の所有権はなお神に存するのであって、従って土地の永代売買は禁止されること、封建時代の土地制度と同じである。すなわち

『地を売《う》るには限りなく売《う》るべからず、地は我の有《もの》なればなり。汝らは旅客《たびびと》または寄寓者《やどれるもの》にして我とともに在るなり。』

とあるのであって、いわば土地は神からの「あずかりもの」である。これは必ずしも珍しい考え方ではないのであって、わが国の年寄りたちが、物を粗末にすると「もったいない」「冥加《みようが》に尽きる」「冥《みよう》利《り》が悪い」などというのと同じ思想であり、また近ごろの学者が所有権を「社会的信託」(ソーシャル・トラスト)、すなわち国家社会からの預り物、と説明するのも、煎じ詰めれば同工異曲である。

所有権は義務づける　さて、私有財産を認めて国家の法律がそれを保護するのは、単に一個人に私せんとするのではなく、各個人に十分な財産利用の権能を与えておけば自らをも利し人をも益し結局国家・社会に平和・幸福をもたすであろうと信頼すればこそであるから、われわれはその信頼を裏切ってはならない。その点が土地について最もいちじるしいから、一九一九年のドイツ憲法（いわゆ

るワイマール憲法）は、『土地を開拓し利用することは土地所有者が公共に対して負うところの義務である。』と規定した。しかしこれは土地だけの問題ではないのであって、紙一枚といえどもムダにする権利はないはずだがから、ドイツ憲法はさらに一歩を進めて、『所有権は義務づける』と直訳すべき根本原則を掲げた。すなわち、最も普通の権利なる所有権もまた「権利にして義務」と考えられるようになってきたのである。わが国の新憲法はそこまでは徹底しなかったが、第二九条第二項に『財産権の内容は、公共の福祉に適合するやうに、法律でこれを定める。』と規定し、さらにその後民法のいちばんはじめに『私権ハ公共ノ福祉ニ遵フ』という宣言を掲げて、権利が私益のみのものでないことを明かにした。

借金を返す権利

権利の中で最も普通な所有権が同時に義務だというのに対応して、義務の中で最も普通な返金義務が同時に権利だ、とは考えられないだろうか。「借金を返す権利」といったら不思議に感じられるだろうが、こういう話を聞いた。ある有名な将軍が某実業家から金を借用した、実業家は将軍の差入れた自筆の借用証文を保存して掛物にでもしようというのか、何のかのと言ってどうしても返金を受け取らない、将軍が困却して弁護士に相談したところ、免除によって債務は民法上既に消滅しているのだから、返そうと言っても返せない、という鑑定だったので、将軍二度ビックリして、民法とやらはけしからんものじゃ、と憤慨したというのだ。実話かどうか知らないが、ちょっと考えさせられる。借金を取り立てるのは債権者の権利だからその権利を行うも行わぬも債権者の勝手、従って権利者は権利を放棄しうる、という考えと、債務は債務者の不利益だからそれを免除されて喜ばない者はあるまいという唯物論とから、民法は債務の免除は債権者の一存で行われうることとしたのだが、それは大まちがいであった。債権債務が消滅した以上借用証文は取り返しうる、という判例になってはいるが、証文は取り返しても債務を免除してもらったという事実は永久に消滅しないのであって、それを喜ぶ人は喜んでもよいが、かの将軍のごとき、借金をまけてもらっては武士の一分が立たぬと憤慨する人のあることを忘れては困る。そしてさような名誉上の利益ばかりではない。勝手に債務を免除されると収賄の形になるというような実質的利害もありうる。ドイツ民法が債務の免除を契約とし、債権者が債務を免除すると言っても債務者が有難うと受けなければ債務は消滅しないものとしたのは、至極もっともであって、そうなれば金を返す権利があるということになりそうだ。返す権利などといっても相手が受け取らなければしようがないではないか、と言うかも知れないが、そのためにこそ「供託」という制度があるのであって、債権者が受け取らないなら法務局へその金額を払い込めば、債権者が局からそれを下げるかどうかは別問題で、債務者としてはりっぱに債務を履行したこと、すなわち返金の権利を行ったことになるのである。

権利の濫用　権利の行使について、大正の中期以後だんだんと、『権利の濫用は権利でない。』ということが裁判所の問題になってきた。すなわち、権利は個人的制度ではなく社会的制度であるから、その権利の社会的存在理由を超過してかえって社会生活を害するような権利の行使を許す

べきでない、という考え方である。ドイツ民法は、

『権利の行使は、他人に損害を加えるのみの目的を有するときはこれを許さない。』

と規定して、権利濫用禁止の一端を開いたが、主観的標準を用いかつ「のみの」と限定したところが甚だ物足りなかった。ところがその後のスイス民法は、

『権利の明白な濫用は法律の保護を受けない。』

と客観的・包括的に規定した。わが民法にははじめこの規定がなかったが、権利の性質上当然のことだから、同様に解すべきであり、規定がないからかえって、ドイツ民法のように狭く考えるに及ばず、スイス民法流に広く解釈することができたのである。判例にあらわれた権利濫用は多く土地についてであるが、それについて二つの型がある。第一の型は、自分の所有地内でするのだというので甚しい近所迷惑を顧みないことであって、名所の松の樹の近くの鉄道敷地に給水タンクを造ったので停車給水中の機関車の吐く煙で松が枯れたという大正八年の「信玄旗立松事件」、ビルディング建築の基礎工事杭打ちの震動が隣家を傾斜させたという昭和六年の「日本興業銀行神戸支店事件」、他家の泉水のかれるのもかまわず池を掘ったという昭和十年の「玉川養魚池事件」などが有名だ。第二の型は、先方にとっては必要で当方にとっては無害な立入りを単に所有地だとの理由のみで拒否することであって、所有地の一隅をわずかに通過している引湯管の撤去を強要して権利濫用なりとされた昭和十年の「宇奈月温泉事件」がその適例である。漱石の「吾輩は猫である」に、苦沙弥先生が落雲館中学の生徒のボール拾いに悩まされるくだりがある。あれはわざとボールを投げ込むのだから別問題だが、ついこ

ろがり込んだボールを取りにはいらしてくださいというのに対し、こちらの所有地だからはいってはいかん拾ってもやらんと拒絶したら、それが権利濫用になる、というのがこの第二型判例の趣旨であって、ここまでくると権利濫用の法理も徹底し、所有権絶対の鉄則の一角が突破されたものと言ってよい。そして昭和二十二年の民法改正によって、第一条第三項として『権利ノ濫用ハ之ヲ許サス』の規定が掲げられることになったのは、判例法が結晶して成文法になった一例と言ってよかろう。

信義誠実の原則　さらに注目すべきは、「信義誠実の原則」が次第に重きを置かれるようになったことである。ドイツ民法・スイス民法にはそれぞれ、

『債務者は取引慣習上信義誠実の要求するように履行をする義務がある。』

『各人はその権利の行使および義務の履行において信義誠実に従って行動することを要する。』

と明言したが、わが民法には規定がなくとも、法律が社会生活規範である本質上そうなくてはならぬことなのであった。権利があるからとて相手方の事情もかまわず十のものを十まで取り立てようとするのは、信義誠実にかなうと言えない。「大工調べ」という人情話がある。大工の弟子の与太郎という少し足りない男が、家賃を一両二歩八百ためたので、家主に大工道具を取り上げられてしまった。棟梁が一両二歩立替えて家賃を払わせたところが、家主はそれを受け取っておきながら、まだ八百足りないというので道具を返さない、それを大岡越前守がさばいて、質屋の免許なくして質を取ったというかどで家主をとっちめ、『大工は棟梁仕上げをごろうじろ。』とさげる落語だが、この家主の行動な

どは正に信義誠実に反した権利の行使である。ところが近年この「大岡さばき」ソックリの訴訟事件が続出し、裁判所は大岡様のような逆手をつかわずに、真正面から信義誠実違反で押し切ることになったのはおもしろい。その最初の判例は昭和九年二月二十六日の大審院判決であって、

『債務者ノ現ニ支払ヒ又ハ提供シタル金額ガ極メテ少額ノ不足アルニ過ギザルトキハ、債権者ガ其ノ不足ニ藉口シテ証書ノ引渡及登記手続ノ履行ヲ拒絶スルハ、信義誠実ノ原則ニ反スルモノト謂ハザルヲ得ズ。』

というのである。

また契約上の義務の履行にしても、単に契約通りにしたというだけでは真の履行にならない場合がある。「袖振り合うも他生の縁」というようなわけで、債権者となり債権者となるもひっきょう人類共同生活の一現象ゆえ、債権者においても十分の思いやりがなくてはならぬが、債務者も誠心誠意相手方の利益を尊重し、債権者のためよかれと弁済しなくては、真の履行とは言われない。三月三十一日に返金するという約束のところへ、同日午後十一時五十五分の相手の寝込みへ持って行ったらどうであろうか。その時刻まで駆けまわってヤット金策したのであればともかく、モット早く持って来られるのにわざと遅らせたのでは信義誠実にかなうとは言えまい。また金を返すにも相当の礼儀があるべきで、催促されたのが癪にさわったからとて投げ返したのでは履行にならず、相手が立腹して受け取らなくても、こちらは履行の提供をしたのに受領を拒む相手が悪いのだとは言えない。学説と判例とがだんだんとそういう方向に向ってきたおりから、昭和二十二年の民法改正により、第一条第二項と

して、

『権利ノ行使及ヒ義務ノ履行ハ信義ニ従ヒ誠実ニ之ヲ為スコトヲ要ス。』

と明言することになった。

これを要するに、権利義務の本質が十分に理解され、権利が濫用されず、すべての行動が信義誠実にかなうに至って、法律がよく「行」われまた「守」られるのである。

陪審員になれる国民　陪審員が本当につとまるような国民に日本人すべてがならなくては法律は「行」われかつ「守」られない、とわたしは思っている。新憲法にもとづく裁判所法によって新しい裁判制度が整備したことは前に言ったが、ここに一つ宿題が残されている。裁判所法第三条第三項に『この法律の規定は、刑事について、別に法律で陪審の制度を設けることを妨げない。』とあるのがそれだ。陪審制は、かつて一度採用されて、十五年間実施された。すなわち、大正十二年四月十八日に「陪審法」が公布され、昭和三年十月一日から施行されたのだが、昭和十八年の法律によって停止されたままになっている。大正十二年の陪審制度採用に至るまでには、賛否の議論が「臨時法制審議会」において白熱し、わたしは採用論者の一人であったので、その成績については大きな期待をもっていたのである。

そこでいよいよ法律が制定公布され、裁判所では陪審法廷やら陪審員宿舎やら設備万端をととのえていよいよ店開きをしたのだが、意外にも客足が甚だ薄かったことは、統計にハッキリあらわれている。陪審には「法定陪審」すなわち法律の規定上必ず陪審にかけなければならない事件があって、これは相当数をかぞえたが、「請求陪審」すなわち本人から希望して陪審裁判を受けた被告人の数は、十五年間に十五人、すなわち一年一人平均ということになっている。しかもその施行初期の昭和四年に十八人あって、その後はガタ落ちになり、一人もなかった年が十年、という始末であった。そのうち事変となり、戦争となり、それを口実にして一応停止ということになったのであった。

陪審制度がどうして不人気だったか、ということについてはいま深入りしないが、英国名物のジュリー・システムも日本の水に合わなかったらしい。わたしが当初陪審制度採用論だったのは、駆出し教授の机上の空論にほかならなかったのだが、一つには、それより数年前の英国留学中ロンドンの裁判所見学に相当精出して、陪審裁判にしたたかほれこんで帰ってきたためでもあった。しかし考えてみると、ヨーロッパ諸国でも、当時陪審裁判がぐあいよくいっていたのはまず英国だけではなかったろうか。わたしはロンドンの前にはパリにいたのだが、当時フランスで評判の陪審事件が二つまで起った。一つはカイヨー夫人事件で、怪腕の政治家カイヨーを「フィガロ」紙が罵倒したのを怒った夫人が社に押しかけて主筆カルメットをピストルで射殺した事件だ。それが陪審裁判で見事に無罪になったので、さすがに物議をかもし世論が燃え上ったところ、たまたま捲き起った戦雲におおわれてウヤムヤになったと思うと、その戦争とからんで今度は、ジョレース事件が起った。一九一四年七月三十一日、第一次世界大戦勃発の前日、非戦論の大立物社会党首領ジャン・ジョレースがパリの繁華街モンマルトルのレストランで食事中国粋派の一青年に窓越しにピストルで打たれて死んだ。その殺人犯人に対しても陪審員は無罪の評決を下したのである。それゆえ、フランス人と熱情の点において似ている、すなわちイギリス人のように冷静でない日本人に陪審をさせたら、被告人が美人か愛国者だと「ピストルが無意識に発射された」というようなことになりはしまいか、という心配がないでもなかったところが、その心配をするまでに至らず、待望の陪審制度が開店休業の立ちぐされになろうとは、まことにあにはからんやであった。

もっとも、そのとき採用された陪審法は不徹底なものでもあった。すなわち、英法のように陪審員が「有罪または無罪」（ギルティー・オア・ナットギルティー）を判定するのではなく、裁判所が「陪審ノ評議ニ付シテ事実ノ判断ヲ為」すのであり、そして、これは陪審制度を採る以上当然のことだが、「陪審ノ答申ヲ採択シテ事実ノ判断ヲ為シタル事件ノ判決ニ対シテハ控訴ヲ為スコトヲ得ズ」ということになっていたので、被告人も弁護士もあまり気が進まなかったらしい。だいいち一般国民が陪審員に当ることを迷惑がった。忙しい家業があるのに否応なしに呼び出され、ことによると裁判継続中何日でもカンヅメにされようというのだから、いやがるのも無理はないが、そこがイギリス人とちがうところだ。わたしがロンドンにいたのは第一次世界大戦の初め一年半だったが、その時のさしかかっての大問題は、強制徴兵論であった。善く言えば「義勇兵」、悪く言えば「やとい兵」、の烏合の衆ではとうていドイツ百錬の精兵に対抗しうべくもないというので、南阿戦争の名将ロバート元帥が熱心にコンスクリプション（徴兵）を主張したにもかかわらず、一般国民は、内心道理とは感じながら、どうも気が進まず、マスト・ゴーの（行かせられる）兵とウイル・ゴーの（行こうという）兵といずれが強きなどと負け惜みを言い、わたしの退英までにはとうとう煮え切れなかったが、いったんジュリーということになると、マスト・ゴーもウイル・ゴーもあったものでなく、当然の義務として、いなむしろ名誉の権利として、喜んでジュリー・ボックス（陪審席）にすわるのである。そして、原告（キング）の弁護人と被告人の弁護人とが証人をさしはさんでの適切巧妙な訊問戦、それをしめくくる裁判長の厳正公平にして時にユーモアのあるサミングアップ（要約説示）、そして満廷息を呑む緊張のうちに「ジュリー十二名全員一致」の意見としてフォアマン（陪審長）の有罪無罪の宣告、なるほどと傍聴人一同納得感嘆する、そういう理想的陪審法廷風景に心酔した洋行帰りの一学究が、国民性の異同には気が附かず、陪審制度採用に賛成の手を挙げたのも、まんざら無理もないではあるまいか。

わたしは裁判というものを、判事・検事・弁護士三位一体の共同事業と思っている。いな、百尺竿頭さらに一歩を進めて、裁判所と国民との共同事業ということにならなくては、本当の裁判とは言えないと考える。翻って思うに、陪審制度は西洋伝来だけれども、陪審的民主裁判の精神は東洋固有と言えはしまいか。孟子梁恵王章句下に、

『左右皆殺ス可シト曰ウモ、聴クコトナカレ、諸大夫皆殺ス可シト曰ウモ、聴クコトナカレ、国人皆殺ス可シト曰イテ然カル後チニコレヲ察シ、殺ス可キヲ見テ、然カル後チニコレヲ殺ス。故ニ国人コレヲ殺スト曰ウナリ。』

とある。すなわち、新憲法下の民主裁判・国民裁判という以上は、結局は陪審裁判まで行くべきであろう。しかしそれは「結局は」であって、日本国民現在の法律認識程度では、まだまだ理想の「結局」

に前途遼遠である。大正末期・昭和初頭の陪審制度採用は確かに尚早であった。またその時の陪審法は決して理想的でなかった。そして今日の乱世にその制度を復活しようとは夢にも思わない。しかしわたしはこのせっかくの国民裁判制度を断念したくないのであって、結局の理想到達を鶴首期待している。その第一歩はまずもって、国民裁判に堪える冷静明敏にして情理兼備なる法治国民（法によって治められる国民ではなくて、法によって自ら治める国民）の育成である。この民主裁判を安心して行ってもらえるような国民があってはじめて、法律は「行」われまた「守」られる。

＊　＊　＊

「やさしい法学通論」と題したが、法律の理論と実行とは必ずしもやさしくない。しかし法律の理論を心に留めその実行を身に附けなくては、道徳的にして民主的な新日本の建設は望みえない。法律は法律家のみの法律でなく、法律学は法律学者のみの法律学でない。わたしは一般国民諸君が、この「やさしい法学通論」にあきたらずして、「むずかしい法理学」に手をのばし、「くわしい現実法学」に足を入れんことを切望する。

あとがき

穂積先生の『百万人の法律学』（昭和二十五年思索社版）は、いい本であるのに、あまり広まらなかったような気がする。発行の時代とか、出版社の販売方法とか、いろいろのことが原因であったのだろう。その意味で、今度あたらしく有斐閣から『やさしい法学通論』と改題のうえ公刊される運びになったことは、私たち門弟の喜びであるばかりでなく、広く社会のため、また法律学や遵法精神の普及のためにもこの上ないことといえよう。

これから法律学を勉強しようとする人や、偶然そういう興味を抱いた素人の人などは、『何か簡単な判りやすい法律書はありませんか』とか、『百頁か百五十頁くらいで民法全体を書いた本はないでしょうか。大きな本は判りにくいでしょうから』というようなことをよくいう。しかし、法律書に限らず、一般に専門書というものは、くわしければくわしいほど判りよく、簡単であればあるほど本当は判りにくいものなのである。昭和二十二年の民法改正の折など、それこそ百頁か百五十頁で改正民法全体を論じた本がたくさん出た。しかしそれを読んで、自分の相続問題や友人の離婚問題なんかを法律的に考えてみようとしたって、さっぱり判るものではない。『不治の精神病は離婚原因となる』と書いてあるところを読んではなるほどと思い、『その他結婚を継続し難い重大な事由あるときも離婚の請求ができる』というところを見ては、やっぱりなるほどと思い、『しかし不治の精神病でも諸般の事情を考慮して離婚を許さない場合もある』というところでは、これまたもっともだと思って読む。どこもみんな判ったと思っているけれども、さて何か一つ離婚問題の実例でも思いついてみると、それは離婚できるのかできないのかいっこう見当もつかない、という結果になり、本に書いてあったことは何でもないあたりまえの常識だった、というようなことになる。まことに『簡にして要を得る』ということはとんでもなくむずかしいことなのである。

ところで法学通論というものは、始めからそのむずかしいことを本質とするような分野である。何百何千という法律を、概観的に短く叙述するのだから、判らなく面白くないものになるのがむしろ普通といってもいいようなものである。しかも、読者の九分通りはまだ法律のことを知らない人たちである。このいわばズブの素人に、厄介な技術的な説明を、簡にして要を得るようにしなければならないのである。決して誰にでもできるものではない。

そこで、もし誰かが、近頃の法学者の中で、このむずかしい仕事をいちばん完全にやれる学者は誰だろう、という質問をしたとすれば、百人中九十九人まではきっと言下に『それは穂積先生だ』と答えるに違いない。私も無論その一人である。

今度の再刊にあたって、校訂というのも少しおこがましいが、廃止になった法律などが引かれていたりしても困るから、私が一応眼を通してみた。私は今さらながら、この仕事の最適任者が先生であることをつくづく感じた。

私が手を入れたというのは、時間的のズレを直したまでのことである。今は廃止となった夏時刻法の話が一頁も書かれていたのを削ったのを始めとして、実におびただしい数の法令が改廃されているので、それらに関する記述を悉く現行法令に基づいて改めたわけである。そのほか、法令ではないが、開巻冒頭の書き出しなども、今年三つになる孫が、というような文章だったのを、孫が三つになったころのこと、というふうに改めたりした。すべてただ時のズレを改めてアップ・ツウ・デートにしたまでで、できるだけ原文を活かし、先生の名調子を傷けないように心掛けたつもりである。

そのほかに、原著にないものを二つ附け加えることにした。一つは、基本的な参考文献を書き添えたことである。これは、この本を読んで法律に興味を起した人が、さらにもう少し勉強してみたいという気を起した場合の手引にもと思ったからである。それに私は、法律学を知らない人がこの『やさしい法学通論』を読むときっとそうした興味を覚えるに違いない、と思っているからでもある。

もう一つ新たに附け加えたものというのは、索引である。『やさしい法学通論』というからには、後から索引を引いて利用するというようなことは稀れで、むしろアット・ホームの気持で通読することのできる読み本であることに本書の特質はあるのだとは思うが、なにぶんにも驚くほど沢山の法令や事項が、いろいろな形で一七五頁の全巻狭しとばかりに盛り込まれ織り込まれている本書のことであるから、読者が索引を欲しいと思うことも珍しくあるまいと思い、先生みずからは附けられなかった索引を、文献と共に附け加えることにしたのである。こうしたことはあるいは先生の好まれないところであったかも知れないけれども、少しでも読者を先生へ引きつけたいと思う弟子としての願望のあらわれなのである。私たちにいっこう小言をいわれず、いつも微笑のうちに私たちの我儘を許して下さった先生のことであるから、今度の出過ぎたかも知れない処置も勘弁していただけるだろうと、勝手ながら思いこんでいる。

『やさしい法学通論』とはいうものの、先生は決してむずかしい問題を棄てたり伏せたりはしておられない。法学通論として取り上げるべき問題はすべてこれを取り上げ、先生一流の筆をもって直截明快に論じられている。ただ、説明の文章があまりにも流暢平易であるため、人は、難解の大問題が扱われていることを気づかないで通り過ぎてしまうのである。普通列車が十五時間かかるところを八時間で走る特急「つばめ」も、決して近道をしたり宙を飛んだりしているわけではない。同じ六百粁の山河を走っているのだが、山坂や距離を感じないだけなのである。

先生逝かれて満三年、いま本書の上梓されるに逢って再び先生にまみえるの思いがある。まことに『文は人なり』である。

昭和二十九年七月二十九日

先生の三年祭の日に当って

中川善之助

文献解題

この書物を読んで法律に興味を覚え、もっと法律学について勉強してみたいという人の便宜のために、比較的入手しやすい、一般的・基礎的文献をあげることにする。したがって、民法とか刑法といった実定法の個々の法律学の文献には、ここでは触れない（これらの詳細については、末川博編　法学綱要　上下（昭三三　日本評論新社）を参照されたい）。

一　般　書

本来、法律学を勉強するには、まず最初に、民法とか刑法といった個々の法律について法律および法律生活の実質を学び、それを通しておのずから形式を会得し、具体的知識から入って漸次に抽象的・理論的の問題に入ってゆく方法もあるが、法学を専門的に勉強するのではなく、短期間に法学の概観的知識を身につけようとする人もあるので、それらの人たちのためにはやはり「法学入門」とか「法学概論」が最適であろう。

○　法律をこれから勉強しようとする人のための入門として書かれたもの――

末弘厳太郎　法学入門　B6二一四頁（昭二七　日本評論新社）

尾高朝雄　法学入門　小B6三一二頁（昭三一　勁草書房）

牧野英一　法律学を志す人々へ（教養全書）　B6三三八頁（昭二七　有斐閣）

末川　博　法学入門（有斐閣双書）　B6二四二頁（昭四二　有斐閣）

伊藤正己・加藤一郎　現代法学入門　B6二一二頁（昭三九　有斐閣）

ヴィノグラドフ、末延・伊藤訳　法における常識（岩波現代叢書）　B6二五六頁（昭二六　岩波書店）

○国民一般を対象として、法律の国民生活において演ずる役割に重点を置いて書かれたもの――
末川　博　法律(岩波新書)　新一八九頁(昭三六　岩波書店)
渡辺洋三　法というものの考え方(岩波新書)　新二二一頁(昭三四　岩波書店)
戒能通孝　法律入門(岩波新書)　新二四四頁(昭三〇　岩波書店)
○法の一般理論のみならず、各実定法の基礎知識についても解説がなされているもの――
尾高朝雄　法学概論(新版)　B6三二六頁(昭三七　有斐閣)
峯村光郎　新版法学概論　A5三二一頁(昭三二　勁草書房)
中川善之助　日本の法律(毎日らいぶらりい)　B6三二八頁(昭三〇　毎日新聞社)
○右のほか、さらに法律哲学ないし法思想史的な面をも加えて説明したもの――
田中耕太郎　法律学概論　A5五四六頁(昭二八　学生社)
戒能通孝　法律講話(法律学体系)　B6四一四頁(昭二九　日本評論新社)
ラードブルフ、碧海訳　法学入門(ラードブルフ著作集)　A5三二一頁(昭三六　東大出版会)
○法律思想の変遷の歴史を解説したもの――
加藤新平　法思想史(滝川・田岡編「法学」大系)　A5一一二頁(昭三七　勁草書房)
小野清一郎　法律思想史概説(法律文庫)　B6二九〇頁(昭三六　一粒社)
船田亨二　法律思想史(現代法学全書)　A5二九七頁(昭三二　青林書院)
○法律学の学生のために、法律の勉強のしかたを具体的に教えるもの――
石川・平野・雄川・三ケ月・加藤・矢沢・金沢　法律学をどう学ぶべきか(ジュリスト選書)　小B6二三〇頁(昭三七　有斐閣)
○明治以後日本の法律制度がどのように変ってきたかを説明したもの――

我妻　栄　法律史（矢内原編　現代日本小史　中巻）　新九二頁（昭二九　みすず書房）
我妻　栄　法律（矢内原編　戦後日本小史　下巻）　A5一二二頁（昭三六　東大出版会）
○自己の研究生活を通して日本の法律の変遷を見つめたもの——
牧野英一　法律との五十年　B6一六〇頁（昭三〇　有斐閣）
○日本の法律学がどのようにして発展してきたかということを知るためのもの——
末弘厳太郎ほか　日本の法学　B6四〇二頁（昭二五　日本評論新社）
○法律とか法律学を右のものとは異った面から少しつっこんで考察したもの——
R・パウンド、末延訳　法の任務　B6九九頁、訳註四八頁（昭三六　岩波書店）
川島武宜　科学としての法律学——法律学方法論　B6二九〇頁（昭三二　弘文堂）
尾高朝雄　法の窮極に在るもの　B6二八九頁（昭三〇　有斐閣）

いままでに挙げたように、法律ないし法律学を体系的に説明したものではなく、日常生活と結びつけながら、随筆風に、小論風に、また講演調で書かれたものとして、次の諸著をおすすめする。法律のベテランの筆になったものであり、いずれも滋味掬すべきものがある。

末弘厳太郎　嘘の効用（末弘著作集6）　B6三五六頁（昭二九　日本評論新社）
穂積重遠　有閑法学（法律文庫）　B6二二四頁（昭三五　一粒社）
〃　続有閑法学（法律文庫）　B6三七五頁（昭三六　一粒社）
中川善之助　赤いベレー　B6二四八頁（昭三三　日本評論新社）
我妻　栄　法律における理窟と人情　B6二〇七頁（昭三〇　日本評論新社）
末川　博　法と自由（岩波新書）　新一六七頁（昭二九　岩波書店）

六法全書

右にあげたものとは性質は違うが、法律を学ぶにあたっては欠くべからざるものに、六法全書がある。六法全書については、本書三二頁、五七頁以下にその役割がのべてあるが、法律書を読むには必ず六法全書を併せ開いて、引用されてある条項を一々当って見なければならない。教科書などの一般の著書においては、なるべく法令の条文をそのまま引用せずに何法第何条とするにとどめていることが多い。そのため、六法全書によってその条文に当ってみないとその個所の理解は困難となる。したがって、六法全書を引いたり、少なくとも主な法令については読んでみたりすることに、馴れることが大切である。(本書に引用されてある条文を一々六法全書に当ってみると、また違った興味がわいてくる。)

幸い、左のような、初学者に必要な最少限度の法令を収録した小型廉価なものが出ているので、何はさておき座右に備えておかれることをおすすめする。これらは毎年内容を改めて刊行されている。

編集代表我妻栄　小六法(有斐閣)

末川博編　基本六法(岩波書店)

その他、地方自治、会計、財政、労働、衛生、建設といった各部門別の小型の法令集も出されている。

辞　典

法律学の書物や法令の中には、専門的な用語とか概念が多くでてくる。書物の中で説明してある場合もあるが、網羅的ではない。そういった用語とか概念の説明、ある法令がどんな内容のものかなどを知るには、専門の辞典類が便利である。

法律学の全分野のものについては――

編集代表　我妻　栄　新版　新法律学辞典　A5一三〇八頁(昭四二　有斐閣)

末川博編　新訂法学辞典　A5一〇六九頁（昭三一　日本評論新社）
中川善之助・木村亀二監修　法律学小事典　A5六二八頁（昭三六　有信堂）
戒能通孝編　法律（岩波小辞典）　小B6二〇九頁（昭三〇　岩波書店）
佐藤達夫・林修三編　法令用語辞典　B6七四九頁（昭三四　学陽書房）

各分野の専門のものとしては――

編集代表末川博　民事法学辞典　A5上巻一一〇四頁・下巻一二三〇頁（昭三九　有斐閣）
滝川幸辰編　刑事法学辞典（増補版）　A5八六九頁（昭三七　有斐閣）
我妻栄・宮沢俊義・菊井維大監修　法律小辞典全書（一粒社）
　佐藤・和田　憲法辞典　小B6三七六頁（昭三五）
　我妻・四宮・遠藤　民法辞典　小B6四一六頁（昭三四）
　鈴木・服部・北沢　商事法辞典　小B6四六八頁（昭三七）
　菊井・染野・新堂　民事訴訟法辞典　小B6三二四頁（昭三七）
　平野・内藤・田宮　刑事法辞典　小B6二九四頁（昭三六）
　有泉・外尾　労働法辞典　小B6三九八頁（昭三六）

なお、法律の学習のためのものとして、立法図、裁判系統図、用語解説、法令の解説などを集めた、
我妻栄・宮沢俊義編　小六法の友　コード判二三四頁（昭三二　有斐閣）
も便利である。

判例集

法律学の学習の素材としても、裁判所の判例はきわめて重要な役割を演じている（本書一〇八頁以下参照）。こ

の判例を知るためには、最高裁判所事務総局で編集している各種の判例集（最高裁判所判例調査会発行）のほか、一般には、判例の必要な部分のみを抜萃して編集したものとして、たとえば民法については、

我妻栄編　民法基本判例集　小B6四六六頁（昭三七　一粒社）

中川善之助編　民法演習判例集　A5全八冊（昭三四　勁草書房）

などがあり、そのほか各実定法の分野で出されている。なお、判例を読みもの風にしたものとして、

中川善之助　民法　生きている判例　B6一八九頁（昭三七　日本評論新社）

我妻　栄　判例漫策（ジュリスト選書）　B6二三〇頁（昭三〇　有斐閣）

をあげておこう。

また、各分野の重要な判例を集めた、

判例百選　B5二四〇頁（昭三六　有斐閣）

続判例百選　B5二一〇頁（昭三六　有斐閣）

は、判例のいろいろを知るのに便利である。

法律雑誌

日常の法律問題とか新法令を解説ないし論評したり、法律の基本知識を与えるために編集されたものとして、法律雑誌も法律学の学習に参考になる。

編集代表我妻栄　ジュリスト　B5版（月二回刊　有斐閣）

末弘研究所編　法律時報　B5版（月一回刊　日本評論新社）

中川善之助・木村亀二編　法学セミナー　B5版（月一回刊　日本評論新社）

慶応・中央・日大・明大・早大・関西大共同編集　綜合法学　B5版（月一回刊　綜合法学刊行会）

法令普及会　時の法令　A5版（月一回刊　大蔵省印刷局）
法律のひろば　B5版（月一回刊　帝国地方行政学会）

法律書のいろいろ

なお、法律関係の書物には、概説書・教科書、註釈書、研究書（モノグラフィー）・論文集及び講座などがある。

概説書や**教科書**は、憲法とか民法といった法典（附属法令も含む）について、条文の順序は問わず、その法典を理解するに必要な事項、ならびに、どこに問題点があるか、それらを如何に考うべきかを、それぞれの立場に基づいて体系的に述べたものである。その法典について知るべきことには一応ふれてあり、また、著者の独自の方法論がつらぬかれているので著者の考えの筋道を知るのにも適している。したがって、法律について勉強しようとする人は、概説書ないし教科書から始めるのが適当である。中には、教科書といっても非常に詳しい高度のものもあり、講義で補うことを前提とした簡単なものもある。「概論」、「概説」、「要論」、「要説」、「講義」、「大意」、「提要」といった名前がつけられているものが多い。

註釈書（コムメンタール）とは、法典の条文の順序に従って、条文の意味を主に、判例ときには学説をとり入れて解説したもので、通常「註釈」、「註解」、「条解」とか「逐条」といった名前がつけられている。実際の仕事に当って、ある法律の条文をひいたときに、その条文を如何に読むか、そこで使われていることばはどういう意味なのか、ということを知るのに必要であり且つ便利である。

研究書（モノグラフィー）は、一般に、学者が自己の興味の対象としている特殊な問題（テーマ）について専門的な立場から内外の文献や判例を渉猟して深く研究されその考え方の筋を展開されたもので、そこでは、そのテーマがどのようなものか、いままではどのような考え方がそれについてなされているか、それに対する筆者の批判、なぜ筆者がそのような結論を導き出したか、その考えの筋道ないし根拠を示されている。**論文集**は、一人の著者もしくは多数の著者が一つ又は多数のテーマの下に書いた論文を集めたもので、テーマが特殊で、内容が専門的である。いずれも一定の知識を前提として筋を運んでいるので、初歩の読者には難解なものであるが、実際には、この方が有益な場合が少なくない。

講座とは——同じく「講座」の名をつけられているものの中にもいろいろあるが——、通常は、一定の企画の下に一つの大きなテーマを選び、そのテーマを理解するに必要ないくつかの細かいテーマを選定し、それぞれのテーマについて、分量(せいぜい二—三〇頁)と適当な執筆者を定め、それを順序よく編集し、何巻かにまとめているものをいう。一人の人がそれだけのものを全部書くことは、分量的にいってまず不可能であり、また、学者の研究の分野が専門的になればなるほど、それぞれの専門について書いた方がすぐれたものが出来上ることがある、ということから企画・刊行される。

そのほか、最近は**演習**というものも出されている。これは、大学での演習のために、問題を設定し、その中からいくつかの問題点を選び出して、それについて解説したもので、具体的な法律問題に際してどう考えてゆくかという法的思考の訓練のためのものである。

いずれにしても、法律を学ぶに当って一番大切なことは、単なる個々の法律の内容や字句を覚えることではなくして、法律心(リーガル・マインド)を鍛錬することにある。法律現象は無尽蔵だから、その一々の知識を与えるわけにはいかない。いかなる現象に出くわしてもそれを法律的に判断しうる思考力を獲得すること、つまり法律的に考える力を養うことである。

したがって、法律用の書物を読むにあたっても、著者の書いていることの結論よりは、むしろその結論が導き出さる経路に注意して読むことが必要である。そうして、そこに著者の法律的な考え方を見いだしてこれを習得することが大切である。

事 項 索 引

つ

て

と

な

に

の

は

わ

昭和三十八年四月二十日　初版第一刷発行
昭和五十五年九月五日　初版第二十六刷発行

やさしい法学通論（新版）

著作者　穂《ほ》積《づみ》重《しげ》遠《とう》
補訂者　中《なか》川《がわ》善《ぜん》之《の》助《すけ》
発行者　江《え》草《ぐさ》忠《ただ》允《あつ》

東京都千代田区神田神保町二の十七
発行所　株式会社　有斐閣
電話　東京（二六四）一三一一（大代表）
郵便番号〔101〕振替口座東京六－三七〇番
本郷支店〔113〕文京区東京大学正門前
京都支店〔606〕左京区田中門前町四四

印刷　三陽社
製本　明泉堂製本

やさしい法学通論［新版］（オンデマンド版）

2013年2月15日　発行

著　者　穂積　重遠
補訂者　中川　善之助
発行者　江草　貞治
発行所　株式会社 有斐閣
〒101-0051　東京都千代田区神田神保町2-17
TEL　03(3264)1314(編集)　03(3265)6811(営業)
URL　http://www.yuhikaku.co.jp/

印刷・製本　株式会社 デジタルパブリッシングサービス
URL　http://www.d-pub.co.jp/

AG588

ISBN4-641-91114-2　Printed in Japan